メタバースとは何か

ネット上の「もう一つの世界」

岡嶋裕史

光文社新書

はじめに

フェイスブックが社名を変更しました。

フェイスブックと言えばＧＡＦＡＭなどと呼ばれるテックジャイアントの一角を占め、時価総額は１兆ドルを超える超有力企業です。

どんな会社にとっても、社名変更は大きな決断です。先進国のＧＤＰほどの時価総額を持っている企業であればなおさらでしょう。なぜ世界中に浸透した名前を捨てて、新しい社名「**メタ（Ｍｅｔａ）**」を選択したのでしょうか？

メタバースでの存在感を確立したいからに他なりません。メタバースはインターネット上に構築されるサービスのうち、次の**キラーサービス**（それを目的にインターネットやある企業の商品を利用し始めるほどの魅力・影響力を持つサービス）になると目されているものです。

インターネットが商用解禁されたころはウェブやメールがキラーサービスでした。よいウェブブラウザやよいメーラーを提供した企業がインターネットで発言権を増すことができました。それが検索エンジンになり、掲示板になり、ＥＣ（電子商取引）、ＳＮＳ、動画配信へと移ろっていきました。

一度何らかの分野で覇を唱えた企業は、毀誉褒貶《きよほうへん》はありつつも、現在も強大な力としてインターネットを、ひいてはリアルを支配しています。検索エンジンのグーグル、ＥＣのアマゾン、ＳＮＳのフェイスブック、それらへの窓口としてのアップルとマイクロソフトがＧＡＦＡＭと呼ばれるのが象徴的です。

そして、次のキラーサービスがメタバースというわけです。メタバースを巡る覇権争いで勝ち名乗りを上げた企業は、次の10年を統《す》べることになるでしょう。それは営利企業にとって喉から手が出るほど欲しい果実に違いありません。

でも、それだけではないと思うのです。テックジャイアントもスタートアップもメタバースに夢中です。彼らは単に儲けのタネというだけでなく、社会構造を書き換え、世界に爪痕を残すチャンスを渇望しています。彼らの目にはメタバースはそのための有力なツールに映っています。

メタバースの何がそんなに魅力的なのでしょうか？　今まで語られるだけでさっぱり実体が見えてこなかった「**リアルと仮想の融合**」や「**仮想世界に住む**」ことに、いよいよ指先くらいは引っかかりそうだからです。

たとえば、「後で会おうよ」と言ったとき、まともに生きてきた人であればスタバかマックでも連想すると思うんです。私のような重度のオタクは電子掲示板やオンラインゲームで「会って」きましたが、今後はちゃんとした人も「放課後に仮想世界で会う約束をする」のがスタバで会うのと同じくらい違和感ない行いになるかもしれません。

いくらＳＮＳが居心地がよくても、仕事や学校に行くためにリアルに帰ってこなければなりませんでした。でも、これからは仮想世界で就業や就学ができるようになるかもしれません。まだ仮想世界で食事や排泄《はいせつ》ができるようにはなっていませんが（ＶＲ睡眠で、「離れた場所にいるけど、一緒に寝る体験」を楽しんでいる人たちはいます）、ＳＮＳ時代よりはずっと長い時間を仮想世界で過ごせるようになるかもしれません。

電子掲示板やＳＮＳ、ゲームも一種の仮想世界でしたが、それがもっと高密度、広範囲になったものがメタバースだと考えるとよいと思います。リアルには移動の困難や身体的な限界、資金的な制約など各種のしがらみが存在します。仮想世界であればそれらの軛《くびき》を解き放ち、もっと楽しくもっと充実した人生を生きられるかもしれません。メタバースはそういう可能性をはらんでいます。だからフェイスブックは社名を書き換えてまで、誰よりも早くここに手を伸ばそうとしています。

もちろん、いいことばかりではありません。どんな技術にも言えることですが、正の側面があれば必ず負の側面も現れます。リアルでちょっといやな目に遭っただけで仮想世界へ逃げ込んでしまうかもしれませんし、長時間の仮想体験が心身を蝕《むしば》むかもしれません。リアルの世界は、そのしくみを長い年月をかけて築き上げてきましたが、急速に構築される仮想世界ではテックジャイアントの思いのままのルールや正義が出来上がってしまうかもしれません。単に静観して享受するだけでは、お金や時間、人生を搾取されてしまう可能性もあります。

本書の目的はメタバースを知ることです。新しいものが現れるときは怖さを伴います。でも、知ることで怖くなくなります。使いこなして自分の生活をよくすることにも使えます。ビジネスチャンスを捉えて一山当てることすらできるかもしれません。メタバースは無視するにはちょっと大きな潮流です。知ることで萎縮せずに、楽しくこの大波を乗り越えましょう。

第1章では「今最もメタバースに近い」と言われるコンテンツ、「フォートナイト」を軸にメタバースの概観をつかんでいただきます。第2章ではこれまでにもあった仮想世界とメタバースでは何が違うのか、メタバースでは何ができるのかを見ていきます。

第3章ではなぜ今メタバースがにわかに脚光を浴びるに至ったかを解説します。技術は社会の要請によって普及したり廃れたりします。社会と技術の関係を読み解いていきましょう。第4章ではメタバースを実現しようとしている巨大IT企業の現況と思惑を理解します。彼らがデザインする世界の中で日本は、あるいは個人は何ができるのかを考えます。

さあ、それでは始めていきましょう。最初は「ソードアート・オンライン」と「レディ・プレイヤー1」からです。どちらか鑑賞されてから、本書を読み進めるのもよいかもしれません。

目次

プロローグ　メタバースとは何か？

「今、幸せ？」
——『アイの歌声を聴かせて』

仮想現実と疑似現実

メタバースが盛り上がったり、盛り下がったりしている。ＩＴ業界特有のバズワードではある。そして、バズワードならばハイプサイクル（技術の成熟度、採用度、社会への適用度の推移）に晒《さら》されるのが当たり前で、毀誉褒貶のジェットコースターにいやでも乗っけられるものなのだ。

だが、それを差し引いても、メタバースの受け止められ方は人によって非常に異なる。なぜだろうか？

メタバースは、まだ辞書には載っていない言葉だが、辞書的な定義を書けば「サイバー空間における仮想世界」になるだろう。「サイバー空間」がわかりにくければ、そこを「インターネット」と読み替えてしまってもいいと思う。

「インターネットにおける仮想世界」

いまいち、ぴんとこない表現である。インターネットそのものが仮想世界だと思われていることもあり、屋上屋を架す印象がある。

ここで言う「仮想世界」をどう捉えるかで、メタバースの印象は１８０度違ったものになるだろう。

まっとうな人の場合この仮想世界を、**仮想現実**（Virtual Reality：ＶＲ）と脳内変換することが多い。ＶＲヘッドセットをかぶって、ポリゴンで形作られた世界に入る。そこが現実じみた空間であれば、確かに仮想の現実である。ＴＶアニメ「ソードアート・オンライン（ＳＡＯ）」（五感も含めて、完全に仮想現実に没入するタイプのゲームが描かれた作品。コンテンツを手に取って消費するのではなく、コンテンツの中に入っていく形になる）や、映画「レディ・プレイヤー1」（SAO同様に完全に仮想現実に没入するタイプのゲームを描いた作品。複数のゲームが存在して、そのプラットフォームになるサービスがあるなど、現在言われているメタバースにかなり近しい構成になっている。「現実がしんどいから仮想へ逃避したけど、仮想は仮想で巨大企業が支配してるよね」という通奏低音で作っているあたりがスピルバーク色）で示された世界である。

ただし、ファンタジーを含むこれらのイメージは、世界的なスタンダードとは言えなかった。というのも、一般的には **Virtual Reality は現実そっくりを志向する**ものだからである。

ソードアートオンライン
https://www.swordart-online.net/aincrad/intro/

レディプレイヤー1
https://wwws.warnerbros.co.jp/readyplayerone/

日本語の訳としては、ひょっとしたら**疑似現実**がいいのかもしれない。

だから、欧米のVR研究者・技術者たちは、VRで何かコンテンツを作ろうとするとき、まずは現実を模すことを考えてきた。VR

ヘッドセットの中で起きる体験にしても、できるだけ現実に近づけるのである。

日本で身近に体験できるところでは、凸版印刷のＶＲシステムがこれに近いかもしれない。文化財のデジタル保存を目論むもので、色々なアプローチをしているが核になるのはスクリーンに映し出すタイプの超高精細技術だ。

展示会などでトッパンＶＲに触れると、「あれっ?」と思う。ＶＲってヘッドセットをかぶって体験するものではないのか?

もちろんそれもＶＲのあり方の一つだが、「現実に近づける」「疑似現実」という意味では、常軌を逸したほど解像度を上げることでも現実に近づくことができる。凸版印刷のＶＲの方針はまさにそうだ。ヘッドマウントディスプレイで３Ｄを感じさせたり、触覚や聴覚に訴えかけるのではなく、単に目に見える情報の質と量を向上させるのである。印刷や映像の域を超えて現実に近づいたそれは、確かに疑似現実の名にふさわしい。だから、彼らの技術はよくあるエンターテインメントではなく、文化財の保存などに使われている。

アイドルはなぜグループ化したか?

別の話をしよう。

アイドルはグループで売り出すものになった。いや、たとえば今の大学生にこんな言い方では伝わらないかもしれない。彼らにとってはアイドル＝グループだからだ。

でも、過去においては、アイドルの主力販売形態は単体ものだった。アイドルはまず何よりも個人として売り出されていた。それがいつの間にか、グループで売るものに切り替わったのだ。

この現象をひもとくよくある説明は、「社会の多様化が進んだから」だ。以前、人々の価値観は今に比べて一様だった。人生観やジェンダー観に広がりがなかった。当然、異性の好み、理想の異性像といったものも、狭いレンジに収まっていた。

その状態であれば、一人の人間が理想としての異性像を引き受けて、演じることもできた。しかし、時代が下って人々の価値観がほどけてくると、「みんな違ってみんないい」の社会になった。

こうした社会では、異性への要求も多様になる。いや、そもそも恋愛対象は異性でなくてもいいとか、人間でなくてもいいといった発想すら受け入れられる。そうすると、一人の人間がこれらを引き受けるのは無理だ。

だからグループ化することによって、「これだけたくさん人がいれば、誰かは好きでしょ？」という売り方にする。これが一般的に受け入れられている解読である。

この考え方も間違ってはいないと思うのだが、アイドルを構成する要素の一部分しか説明していない。アイドルは商品であるから、どうマネタイズできるかがとても重要なのだ。だから、「アイドルがなぜグループ化したか？」の回答には、「情報技術が進歩したから」を追加すべきだ。

コト消費はコピーされにくい

アイドルは儲からなくなった。彼ら／彼女らの主力商品は間違いなく楽曲販売である。洗練された情報技術が、楽曲をコピーするコストをほぼゼロにまで押し下げ、しかも劣化しないコピーまで編み出した。

昭和の時代だって、楽曲をコピーする技術はあった。端的なところではカセットテープである。しかし、ＬＰレコードやＣＤをカセットテープにコピーするのは時間がかかったし、何よりも音質の劣化が免れなかった。私のような素人でも、ＣＤの音質とカセットテープの音質の違いは一目瞭然である。

また、カセットテープの購入費用がそれなりにかかり、カセットテープ自体の使い勝手もよくなかった。

　でも、今の音楽シーンはまったく違う。容量の都合で圧縮（音質低下）していることもあるが、技術的にはオリジナルとまったく同じコピーを作ることができる。オリジナルとコピーの見分けはつかない。

　リスナーが音楽をＣＤで聴こうとした場合、利便性はむしろそこから作られたコピーである音楽ファイルのほうが高い。ＣＤプレイヤが音楽情報をシークして楽曲を再生する時間はまだるっこしいが、音楽ファイルであれば選曲も再生も持ち運びも至便である。

　さらには、リスナーが発売を待ちわびるＣＤよりも先に、インターネットを介して音楽ファイルを入手できることすらある。いわゆる「割れた」という状態で、もちろん法的には大問題だが、発売日前に好きな楽曲を聴けるのであれば多くのリスナーはアクセスするだろう。

　これらを総合すると、ＣＤは売れない。

　当たり前である。オリジナルと同じ音質のものが、タダで、発売日よりも早く手に入るのであれば、そちらにアクセスする。人は大事なお金を、利便性の悪いオリジナルに投じたりしない。

　しかし、アイドルもボランティアで活動しているわけではないので、どこかで儲けなければ存在自体が立ちゆかなくなってしまう。ＣＤに代わるマネタイズポイントが必要である。

それが握手だ。

握手はコピーできない。コピー可能なもの、特にデジタル技術でコピー可能なものは、あっという間にオリジナルと同じ品質のものがタダ同然で流通してしまうので商売にならない。だから、コピーできない要素を探し、商品化しなければならないが、握手はそれに最適である。

幅広い分野で、「モノ消費からコト消費へ」が謳《うた》われている。それらは、モノが飽和したので体験の価値が高まったなどと説明されるが、私は「単にコト消費はコピーされにくいから、商売しやすい」が理由だと考えている。アイドルの握手会はその最たるものだ。

だから、アイドルはグループ化しなければならなかった。

握手をするたびにちゃりんちゃりんとお金が落ちてくるならば、手の数は多いほうがいい。

１人の人間が単位時間あたりにできる握手はたかがしれているが、それが46人だったら、48人だったら。マネタイズポイントを複数化することができる。

コト消費を脅かすＶＲ

そして、この握手会商法を脅かす技術がＶＲである。

ＶＲは体験をデジタルコピーする技術だ。まだ発展の過渡期にあり、未熟な技術であるため、「ＶＲで握手したから、もう本物のアイドルのイベントには行かなくていいや」とか「ＶＲで見たので、旅行はやめよう」とはなっていない。

しかし、5年後、10年後にＶＲでの体験の価値が、現実でのそれを上回る可能性は十分にある。現在、ＶＲ体験は視覚と聴覚に偏っているが、視覚情報の大幅な進歩に加えて、触覚や嗅覚、味覚まで加えた体験が研究されている。

10年のスパンではこれらが現実と同水準になることは考えにくいが、現実では避けることができない「混雑でだいぶ待った」「移動時間がつらい」「他の人との接触でいやな思いをした」といった体験を消去し、「いいとこ取り」を、ＶＲであればすることができる。ＶＲにとってはビジネスチャンスが、現実のアイドルにとってはビジネスを侵食されるリスクが存在している。

これらが、現実の模倣に端を発し、技術を尖らせていくことで現実と変わりがないような疑似現実へと発展していく例である。

VRからARへ

であれば、VRの次はAR（Augmented Reality：拡張現実）だと話が広がっていくのも理解できる。現実を模倣するのであれば、何もないところから疑似現実を立ち上げるのではなく、現実と仮想を混ぜてしまえばよい。作り手としてはより効率的に疑似現実を作ることができ、受け手としてはより現実と地続きの形でその疑似現実を消費することができる。

ARを身近に感じている人は少ないかもしれないが、実はかなりの強度で日常生活に入ってきている。

ポケモン GO
https://www.pokemongo.jp/play/

「ポケモンGO」などは、すぐに始めることができるARである。日常の風景の上に、ゲームのキャラクタが上書きされる形で、現実と仮想が融合している。

この種の試みはエンターテインメントと親和性が高いので、どうしてもゲームやアニメなどの紹介が多くなってしまうが、たとえば様々な理由でペットが飼えない人がスマホやスマートグラス（情報化されたメガネ）の中だけでペットを飼育したとして、それは他の人には見えないけれども、本人が認知していれば確かにそのペットを飼っているのだということはできる。

機械の修理をしているときに、設計図や説明書をいちいち引っ張り出してきたり、目を通したりするのは面倒な以上に生産性を削ぐ行為だが、スマートグラスで現実の視界に説明書を重ねて表示すれば、現場から目を離したり手を止めたりせずに作業をすることができる。ＡＲには様々な可能性があり、技術革新やビジネスアイデアが練られている。

疑似現実ではなく別の世界へ

しかし、体験をデジタル化する技術には、もう一つの別の潮流がある。

冒頭で述べた「ソードアート・オンライン」や「レディ・プレイヤー1」がそうだ。現実に似せる（疑似現実）のではなく、現実とは違うもう一つの別の世界を作ろうという方向性である。

「そんなの当たり前だろう。というか、仮想現実とはそういうものではないのか」と問う向きがあるかもしれない。それはおそらく日本の特殊性が関連している。

すでに述べたように、一般的には仮想現実とは疑似現実（現実になるべく似せる）を指す言葉なのだ。Virtual Realityの訳語としても、たぶん疑似現実のほうがニュアンスは合っている。日本は世界的に見ても珍しいほど、「仮想現実と言えば、リアルとは異なる別の世界を作るんでしょ?」と思っている国だ。

どうしてそうなったのかははっきりとしない。たとえば、元講談社ＶＲラボの松下友一氏は、「Virtual Realityを仮想現実と訳したからだ」との仮説を立てている。

「仮想」現実なのだから、現実と同じである必要はない。むしろ同じでないほうが面白いだろうと、クリエイタの発想が導かれたとする見解である。確かにモノや概念に名前がつくことで、そのモノの使い方や概念の運用が決まることは多々あるので、その可能性はあると思う。

Virtualを「仮想」と訳した人の気持ちはわかるのだ。過去に流行した技術に仮想記憶がある（今だって使われているが）。コンピュータの主記憶装置（メインメモリ）の容量がまだ小さかったころの話だ。たとえば、綺麗なグラフィックのゲームをするのに大きな容量の主記憶装置が必要なのだが高くて手が出せないとき、小さな主記憶装置で無理矢理動かし溢れたデータを安価な補助記憶装置（ハードディスクなど）へ逃がすのである。

データの大部分は補助記憶装置に格納されることになるのだが、ゲーム側はまるですべてが主記憶装置に収まっているように騙されるのである。不連続に配置されたデータを、連続したデータのように扱える。もちろん動作は遅くなるが、規定に達していないコンピュータでもアプリを動かすことができた。

この技術をVirtual Memory（＝仮想記憶）と呼び、しかもこの言葉がだいぶ普及したので、以降のＩＴ業界ではVirtualは仮想と訳されるべき言葉になったのである。それが、Virtual Reality（＝仮想現実）になり、現実とは違うもう一つの別の世界へと想像力や技術開発の指向性を誘ったとするのは、ある程度の説得力を持つと思う。

現実とは違う「もう一つの世界」＝メタバース

ここまでであれば、「また日本は」「あいつら、現実と妄想の区別がついてない」と言われる案件である。しかし、今回に限ってはこの考え方に世界が追従してくる可能性があるのだ。単なる体験の枠を超えて、生活の大部分を「そっちの世界」へ移してしまいたいという構想すらある。まさに、現実とは違うもう一つの世界である。「**現実とは少し異なる理《ことわり》で作られ、自分にとって都合がいい快適な世界**」――本書ではこれを**メタバース**と呼ぶ。だから、ゲームやSNS、VRと親和性が高く、これらの延長線上にメタバースを構築しようとしている企業が多いが、メタバースにゲーム性が必須というわけではない。似た言葉に**デジタルツイン**があるが、これは先ほどの分類で言えば疑似現実のほうだ。

デジタルツインがリアルに対してフィードバックを返してくるようになると、それは**ミラーワールド**と呼ばれる。

もっとも、これらを作ろうとしている各社の呼称は曖昧である。各社ごとに聞き心地のよい言葉を用意しようとするし、実際に作る段になると完全なミラーワールド、完全なメタバースはなくなる。自分の商売が最もしやすいところでバランスを取り、「ミラーワールド風味を取り入れたメタバース」などを作ることになるからだ。

メタバースは色々な文脈で使われるが、**meta**（**超えた**）**-universe**（**世界、宇宙**）からの合成語である。これを高次世界とすると、三次元空間に対する四次元空間のように上下関係があるかのように印象づけてしまうので、「**もう一つの世界**」がいいと思う。

疑似現実と仮想現実の両方をひっくるめて、より大きなくくりとしてメタバースとすることもある（たとえばナイアンティックは「現実世界のメタバース」をビジョンに掲げている。彼らの言うメタバースはミラーワールドの成分が強い）が、本書では**疑似現実＝デジタルツ**

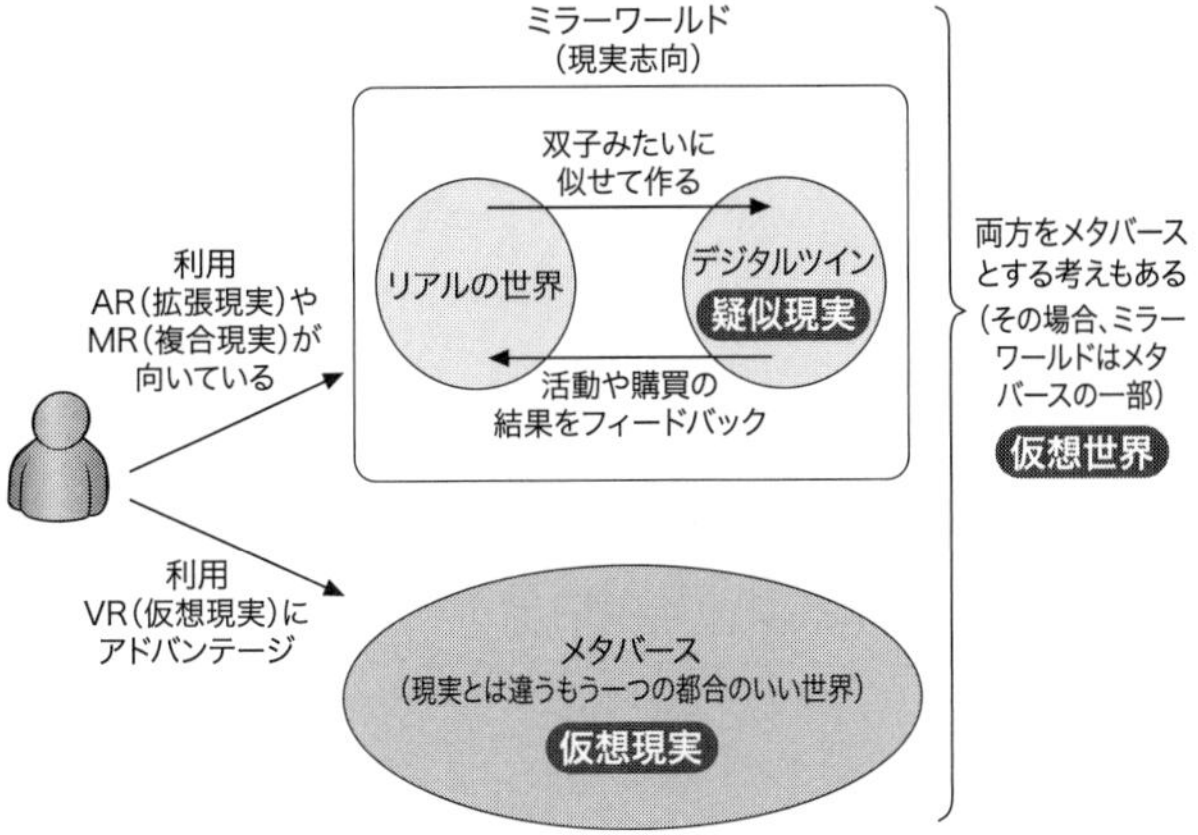

メタバースとその周辺

イン、**仮想現実＝メタバース**として書き進めていく。

　メタバースは仮想現実なので、現実ばなれ（リアルばなれ）した「**都合のいい世界**」を作ることができる。私はこれがメタバースの本質だろうと考える。メタバースの定義を議論するときに、VRか否か、アバターのあるなしなどがよく俎上に載るが、これらは「都合のいい世界」を作るための要素技術だ。

　そう定義すると、大きなくくりとしてのメタバースは用語がなくなってしまうので、「**仮想世界**」と表現する。疑似現実や仮想現実には様々な機器でアクセスすることになるが、疑似現実へのアクセスに向いているのがARやMR（複合現実）、仮想現実へのアクセスに向いているのがＶＲだと考える。

　なぜそんなものが流行っているのか、流行ろうとしているのかについては、社会構造の変化を整理しておく必要がある。私が書くのは口幅ったいが、どうしてそうなるのかを理解するために、少しだけまとめておこうと思う。

「大きな物語」と「ポストモダン」

　キーワードは、ずいぶん懐かしいが「大きな物語」と「ポストモダン」である。定義は色々あるが、本書では大きな物語を「みんなの価値観が狭いレンジにまとまっている状態」、ポストモダンを「それがほどけた状態」としておく。これらの用語は２０１６年のセンター試験でも出題され、定説になっていると言っていいだろう。

　大きな物語というとイデオロギーや宗教が思い浮かぶかもしれないが、そこまで大上段に構えなくても、人生観やジェンダー観、将来設計などでもいい。たとえば、ぼくの年代だと「男の子はこうあるべき」「女の子はこうあるべき」などと、ふつうに学校の教室で教わったし、ある程度の年齢になったら結婚して家を構えて、子どもをもうけるのが当たり前だとすり込まれた。

もちろん、当時からそれに反発する人はいたけれども、反発するという行為も含めて、そうした価値観をみんなが認識していたわけである。

でも、今同じことを言ったら、たとえば私が自分の講義で「男の子はこうあるべき」「女の子はこうあるべき」などと言ったら単なるハラスメントである。「性別を意識させてしまうから、『くん』づけはやめて『さん』で統一しよう」と大学から指導される時代だ。その日のうちに首が飛ぶだろう。その程度には社会は多様化して、一人一人の考えていること、信じていることはほどけたのである。

その結果、私たちはたくさんの自由を獲得した。会社に行く時間もけっこう選べるようになったし、結婚しない人生もありになった。私が女装して教壇に立っても（やらないけど）、事務局の人たちは表だって抗議はしないだろう。

だが、自由を獲得すると、もれなく責任がついてくる。能力や資源に恵まれた人はいいのだけれど、そうでない人にとっては自由はけっこうしんどい。自由平等と何の気なしに言うが、自由と平等は食い合わせが悪い。自由にすると差が生じ、平等を推し進めると自由でなくなる。

今は自由によりフォーカスが当たっている状態だと考えられるので、多くの人にとって割とつらい社会になっている。しきたりや旧弊でがんじがらめになっている社会は不自由であるけれども、文句を言いながらもそれに従っていれば自分の居場所は割と確保されていた。いやなはずの地縁社会や共同体に守ってもらえた。

それに対して自由な社会は、風通しはいいけれど、生きる指針や安全・安心は外部から与えてもらえなくなる。自分で「自由に」獲得しなければならないのだ。端的に言って不安である。

だから、不安を埋めてくれる予感にみんな飛びつく。

先に記しておくが、大きな物語的な国粋主義や強固な地縁社会に戻ろう、という選択肢はおそらくない。そういう志向の人たちもいるが、やはり一度知ってしまった自由はそう簡単に手放せるものではない。人々が狙うのは自由と安心のいいとこ取りである。

SNSの本質

宗教であれば、古典的・体系的なそれではなく、宗教が持つ様々な要素から自分に都合のいい部分だけを抜き出して私的な信仰を作るなどの現象を見ることができる。報道や政治家の発言から、自分が嬉しい箇所だけを継ぎはぎして自分の思想を作ることもできる。

もっと身近で端的な例はＳＮＳだろう。ＳＮＳはよく、友だちとつながるネットワークと称されるが、実態としては**つながりを絶って人を囲い込む技術**だ。小さな空間に同じ属性の人を閉じ込めて、世界を作るのである。

こう書くとＳＦのように感じられるかもしれないが、私たちは幼稚園や小学校で同じことをしていた。クラスには気の合う子も、気の合わない子もいるが、気の合わない子と敢えて友だちグループを形成する子は稀である。たいていは気の合う子同士でグループを作る。気の合う子とは、同属性者のことだ。

趣味嗜好《しこう》や生活水準、容姿の水準などが似ていれば、あまりフリクション（摩擦、衝突）のない快適な空間を作ることができる。生活の知恵である。

学校の友だちグループは母集団がたかがしれているので、そんなに似た子ばかりを集められるものではないが、数億、数十億の利用者がいるＳＮＳではそれが可能になる。本当に自分と同じ意見、同じ趣味を持つ小集団を作ることが可能なのだ。

そうしたＳＮＳのフィールドでは、何を言っても「いいね！」してもらえるし、他人の発言もうなずけるものばかりだ。気持ちがいいこと請け合いである。

実際、これは本当に魅力的なのだ。人間の極めて根源的な欲望に、承認の欲求がある。居場所を見つけ、誰かに認めてもらい、好きだと言ってもらう。とても安心する瞬間だ。でも、現在この安心を獲得するためのコストが高騰している。

自由を実現した結果、一人一人の考えていることが大きく異なるようになったからである。ボランティアを至上の価値だと考えている人に、「努力してお金持ちになったよ！」と言ってもあまり響かないだろう。褒めてもらえる可能性は薄い。

褒めてもらうのが難しいなら、せめて誰かとコミュニケーションして安心を獲得しようとしても、多様性が極まった社会ではコミュニケーションのリスクは大きい。それこそ、昭和の時代であれば、世間話に「ご結婚は？」くらい言っておけばよかったかもしれないが、結婚を嫌う志向の人が相手だったら地雷を踏み抜いてしまう。

そんな状況で、自分の発言が認めてもらえる、他者の発言に共感できる場は本当に貴重である。それを演出しているのがＳＮＳだ。

ＳＮＳはフィルタリングにフィルタリングを重ね、慎重に設計されたグループの中に利用者を囲い込む。その囲い（フィルターバブル）の中はパラダイスだ。あまりにも快適で、つい長い時間を過ごしてしまう。その長い時間の間に広告を見せるのがＳＮＳのビジネスである。

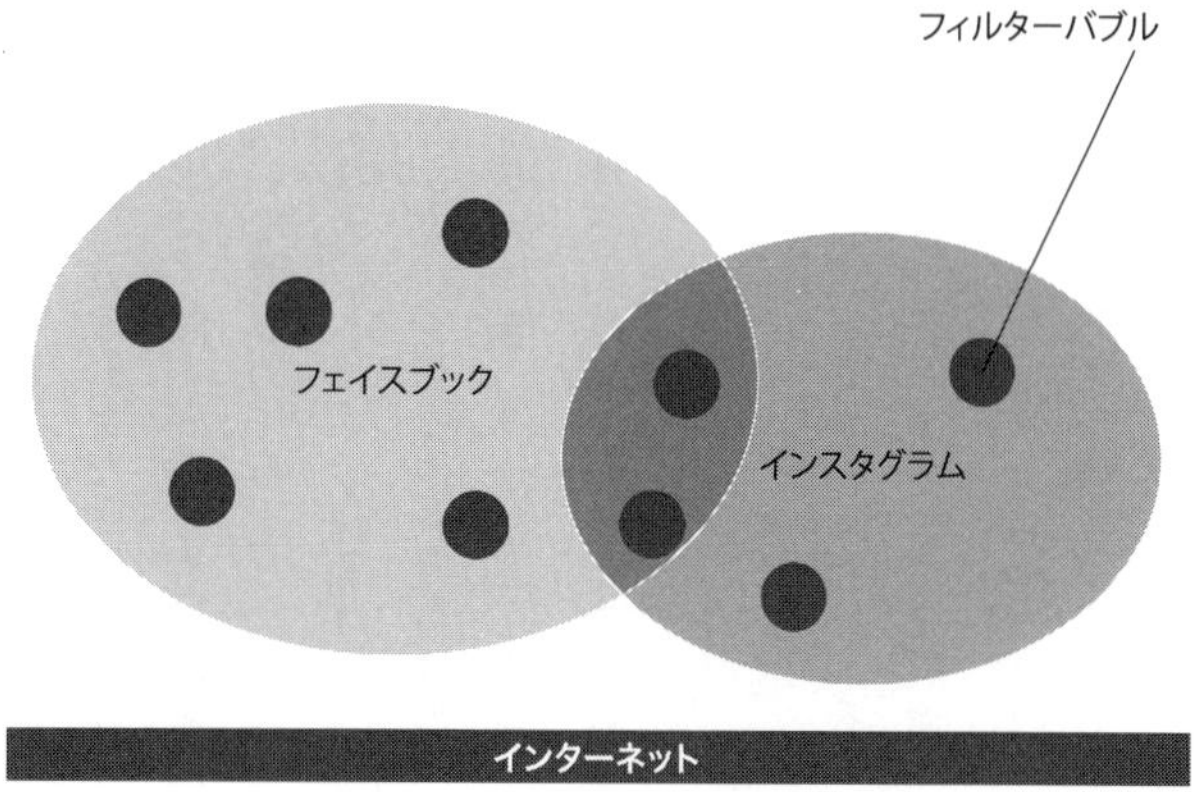

SNSには無数のフィルターバブルが存在する

もちろん、一皮むけばフィルターバブルのすぐ外には、まったく相容れない価値観を持ついやな相手がいるのかもしれない。実際にそれらが接触してしまうことで起こる現象が炎上だ。でも、ウェブの検索結果と同じで、利用者にとって見えないことは存在しないことと同義である。炎上するまでは、そこは閉ざされた平和な楽園だ。しかも利用者の視線では、この閉鎖空間は広大に広がる世界に見えるのだ。

たとえばユーチューブ（YouTube）と聞いて、あまりフィルターバブルを連想はしないと思う。フィルターバブルはあくまでフェイスブックやインスタグラムといったサービスで起こる現象で、ユーチューブでは特に友だち登録などしないではないかと。しかし、ユーチューブの強力なレコメンド機能は、この世にまるで自分の好きな動画しか存在しないかのような空間を作り上げる。猫好きは猫好きのクラスタに、時事問題好きは時事問題好きのクラスタに囲い込まれ、あまり好きでない動画を目にして興醒めするような体験は慎重に排除されている。

健全でない、と多くの読者は思うかもしれないが、このビジネスはおそらく今後も拡大する。自分と違いすぎる他者だらけの空間で、四六時中心穏やかに過ごすことはなかなか難しい。本当であれば、自分と違う他者を受け入れ、違いを尊ぶべきなのだろうが、違いは不平等に直結する。また、寛容はあらゆる行為の中で最も能力と資質、努力を要求するものでもある。

したがって、かなりのケースで「自分と違う他者」に触れた反応は、回避か攻撃になる。そのほうがコストがかからない。その有効な回避先としてＳＮＳがあるわけだ。

ただし、ＳＮＳはまだまだ発展途上の技術である。人の手持ちの可処分時間を考えれば、ＳＮＳはもっと人から時間を奪える可能性がある。そうなっていないのは、ＳＮＳが世界として未完成だからだ。働くときはＳＮＳを離脱しなければならないし、食べるときも、寝るときもそうだ。

ＳＮＳがもっと人に使われるサービスになるためには、もっと世界として完成され、ほとんどの時間をＳＮＳ内で過ごせるようになる必要がある。生理的な欲求の部分は最後まで現実世界に残り続けるだろうが、それ以外はすべて「そこ」にいられるようなサービスには巨大なビジネスチャンスがある。

ＳＮＳからメタバースへ

私はそれがメタバースだと考える。ＳＮＳのように心地よく、風のそよぎや花の香りさえ楽しめ、そこでお金すら稼げるような世界が実装されたら、ほとんどの人生をそこで過ごしてもよいと考える人はたくさん出てくるだろう。それが健全かどうかはわからないが、ニーズは確実にある。

眉をひそめる向きもあるかもしれない。でも、こういうふうにも考えられる。たとえば現実で事故に遭い障害を負ってしまっても、メタバースでなら事故以前のように元気に駆け回れる。事故のところを老いに読み替えてもいい。老いる以前のように、飛んだり泳いだりできる。現実では引きこもってしまって自室から出られないが、メタバースでなら仕事をしてお金を稼げる。そんなもう一つの世界である。なかなか魅力的ではないか。

テックジャイアントと呼ばれる巨大ＩＴ企業でさえそう考えているから、メタバースに巨額の開発費を投じている。好むと好まざるとにかかわらず、多くの人がメタバースに回収される未来は近づいている。ウェブやＳＮＳは一時代を築いたが、次にインターネットを支配するのはメタバースかもしれない。

そしてこの分野に、**日本ならではの成功の形**があると思うのだ。

メタバースは現実の模倣ではない。つらくてつまらない現実から、いいところだけを抜き出した、もう一つの世界である。それはこれまで欧米が主導してきた疑似現実とは位相が異なる。Virtual Reality を仮想現実と訳しなじんだ日本だからこそ、作れるメタバースがあるはずだ。それが何なのかを考えていこう。

第1章　フォートナイトの衝撃

「さまざまな意味でメタバースはソーシャルテクノロジーの究極の表現だ」
——マーク・ザッカーバーグ（メタ〈旧フェイスブック〉）

エピック対アップルの戦争はなぜ起きたのか？

２０２０年夏、ＩＴ業界に衝撃が走った。エピックとアップルが戦争を始めたからである。

それは間違いなく戦争だった。

なぜそんなことが起こったのか。前提知識が必要なので、少しだけ解説しておく。

まず、エピックはゲームメーカーである。代表作は「フォートナイト」だろう。ゲームエンジンであるアンリアルエンジン（Unreal Engine）でも著名だ。ゲームエンジンは、ゲームの制作や実行に関わる共通プラットフォームである。

フォートナイト

たとえば、古典的なプログラミング環境では、「ボールが落ちる」ソフトウェアを開発したければ、そのボールの動きを自分で記述しなければならなかった。自由落下の式を理解し、それをプログラミング言語でどう書くか頭を悩ませるわけである。

ところが、ゲームエンジンを使うと様子が変わる。最初に空間を作り、その空間の中にボールを配置する。そして、空間内では重力が有効であること、もちろんボールもその例外ではないことを設定する。言葉にすると長ったらしいが、実際にはチェックボックスをオンにするだけだ。ゲームエンジンを使うことで、プログラミングは非常に楽になった。劇的な生産性の向上が見られた。

今、普及しているゲームエンジンといえばアンリアルエンジンとユニティ（Unity）で、これらが世界を二分していると考えていい。プログラミングやゲーム開発に興味がなければ、「ふーん」という話なのだが、たとえば日本の国民的なゲームである「ファイナルファンタジーⅦ　リメイク」もアンリアルエンジンを使って作られている。「ドラゴンクエストⅪ」もそうだ。ゲーム業界における影響力は、とても強いのである。

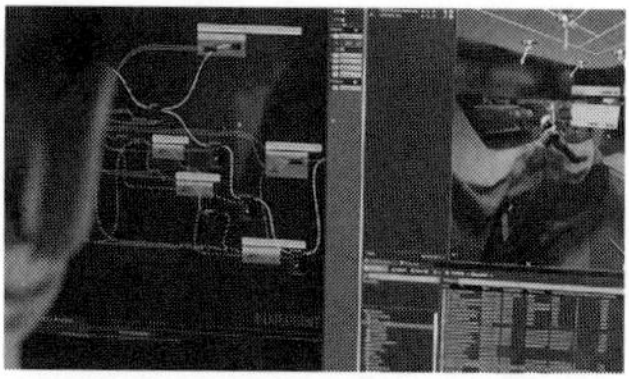
アンリアルエンジン
https://www.unrealengine.com/ja/solutions/simulation

そのエピックのドル箱タイトル「フォートナイト」が、アイフォーン（iPhone）などのアップストア（App Store）から削除された。理由はガイドライン違反と説明されている。

それ自体はどうということはない。この業界であれば日常茶飯事である。プログラムのバグや差別表現などが意識的にしろ、無意識的にしろ、ソフトウェア製品に入り込むことはよくある。バグの根絶は21世紀中には無理だろう。取り下げて、修正して、またストアに再登録すればいいだけの話である。

しかし、フォートナイトの削除は、そのようなシナリオではなかった。つまり、「巨大IT企業であるアップルが作った法にうまく沿っていなかった弱小メーカーが、お小言を食らって姿勢を正す」といったそこらで起こっている話ではなく、対等な者同士の殴り合いの構図になっているのである。少なくとも、エピックの側はそう考えているだろう。

アップストアのみかじめ料を回避

どういうことか？

エピックは、金融を握ろうとしたのである。

自分が日常生活において、日本銀行に代わって新しいお金を発行するさまを想像してみて欲しい。それは、控えめに言っても、権力に対する挑戦である。

いや、私がそれをやったら挑戦どころかただのコメディでしかないが、エピックの場合は地力があるので挑戦たり得るのである。

どんな挑戦をしたのか？

アップルはインターネット上に帝国を築いている。彼らは立法者であり、アーキテクトであり、行政も司法も司《つかさど》る。その中には、当然お金の流れも含まれている。

アップルが運営するアップストアのみかじめ料は30％である（個別契約も多く一概には言えないが、話をわかりやすくするため30％としておく）。私がアプリケーションを作ってアップストアで売り、１０００万円の売上が立つと、３００万円がアップルの取り分で、私の口座に振り込まれるのは７００万円だ。

これはあらゆるトランザクション（取引）に適用される。アプリでゲームを楽しんでいて、そこでアイテムを（ゲーム内通貨ではなく、ドルや円で）買ったり、いわゆる「ガチャ」を行うと、そこからも30％をアップルが徴収していく。後述するスーパーチャットでもそうだ。人気のあるソシャゲだと年間で数百億の売上があるが、仮に１０００億円を売ったとして、アップルに３００億円を納めることになる。それがいやなら、アプリとは別のところで課金しなければならない。

アマゾンの電子書籍リーダであるキンドル（Kindle）が、アプリから本が買えたら売上部数が伸びるのは確実と思われるのに、書籍を購入するためには一度アプリを離れてアマゾンのウェブサイトに行かねばならないのはそのせいである。

これはほとんど所与の条件のようなものだ。私が生活していて、「都民税が高いなあ」と思うことはあっても、それを変えられるとは思っていない。そんな力は自分にはない。せいぜい文句を言いながら、支払期限ぎりぎりまでお金との別れを惜しむのが関の山である。ところがエピックはこれに反旗を翻《ひるがえ》した。アップストアに並べて売るのだが、「課金するときに、うちのシステムを通せば割引にするよ」とやったのである。もちろん、アップストア経由でお金を払うな、とは言っていない。お好きにどうぞ、である。しかし、よほどの物好きでなければ、安いほうを選ぶだろう。得られるサービスはいっしょなのだから。

ちなみにアップルは規約であらかじめこれを禁じている。リンクなどで外部の購入ページへ誘導するのもＮＧなのだ。「購入ページ」の解釈が微妙なところで、みんなスレスレの線を狙ってくるのだが、エピックは相当大胆にやったわけである。なお、これらの規約は裁判を受けて、今後大幅に変わる可能性がある。

自社の独自決済システム（エピックディレクトペイメントという）であれば、アップルに上納金を支払わなくてよいわけであるから、割引の原資は潤沢にある。

アイフォーンへの販売ルートを失う

アップルは怒った。

シマを荒らされたのだから、当然の反応である。これを見過ごせば、ビジネスモデル自体が成り立たなくなってしまう。フォートナイトはアップストアから登録抹消され、エピックは10億台といわれるアイフォーンへの販売ルートを失った。

潜在顧客を10億失うって、どんな気持ちだろう。私が経営者の立場でその状況に直面したら、速やかに枝振りのよい木を探し始める。

エピックは縄をなったり、やけ酒に溺れたりはしなかった。間髪入れずに、アップルを独占禁止法違反のかどで訴えた。全面対決の構えである。

この問題の評価は難しいところである。アップルが手数料を取ることそのものは、悪いことではない。アップルやグーグルのネット上におけるビジネスがフリーライドと批判されたのは、今や昔のことだ。

他人の築いたインターネットアーキテクチャにあぐらをかいて、濡れ手に粟のぼろ儲けをしていると言われたわけだが、少なくとも現時点では、その批判はフェアなものではないだろう。

アップルやグーグルは自社システムだけでなく、インターネットそのものにも莫大な投資をし、規約を定め、技術を開発し、ビジネス環境を整えた。インターネットに通信を投げて迅速なレスポンスが得られること、その通信が特に苦労もなく暗号化されていること、安全な決済手段が整備されていることのすべてに彼らは貢献している。

私がアプリを開発して、個人ページで売ったとして、それが人の目に留まる確率は、21世紀のうちに不老不死の技術が開発されるよりも低かった。それが今、曲がりなりにも「ひょっとして……？」といった夢が見られるのは、彼らのアプリストアがあるおかげだ。

貢献したものに、相応の見返りがあるのは当たり前である。だから私もそうだし、エピックですら、「手数料を取ってはいけない」と主張してはいない。エピックは30%が高すぎると言ったのだ。アップルは独占的な地位を利用して、高額な使用料を徴収していると。

これまでにもそう感じた企業は多かったろうが、アップストアという広大な市場を失うわけにはいかなかったので、不満があっても使い続けてきた。その状況にノーをつきつけたのだ。

あろうことか、エピックはグーグルにも同じことをやった。グーグルの決済システムを迂《う》回《かい》して、エピックのしくみでお金を徴収する機能を盛り込んだので、グーグルのアプリストアであるグーグルプレイから削除されたのだ（ただし、グーグルは公式ストア以外でのアプリ配布、いわゆるサイドローディングを認めているので、完全にアプリ配布の道が絶たれるアップルとは事情が異なる。またグーグルは購入ページへの誘導や、アプリ外でも利用できるコンテンツの外部決済を認めている）。

インターネットの二大帝国を両方同時に敵に回す。

悪夢のような二正面作戦である。ドイツが英仏と戦いつつ、ソ連に対しても戦端を開くようなものだ。自分たちのシステムであれば、課金時のみかじめ料が12％で済むことをアピールして自陣営の味方を増やそうとしているが、単にそこだけを切り取れば無謀な戦闘に見える。

少なくとも２０２０年夏の常識では考えられなかったことを、エピックは実行したのだ。

彼らの自信はどこから来るのか。

なぜフォートナイトが勝ち残ったのか？

一つにはフォートナイトの人気があることは間違いない。

フォートナイトはＴＰＳ（Third Person Shooter：三人称視点狙撃ゲーム）である。ＦＰＳ（First Person Shooter：一人称視点狙撃ゲーム）と並んで、確立されたジャンルである。多くの潜在的な利用者がおり、そこで人気を博したものは巨万の富を得る。

数多《あまた》あるＴＰＳの中で、なぜフォートナイトが勝ち残ったかは諸説ある。シューティングゲームはその性質上、殺伐とした世界観のコンテンツが多い。殺し合いをするのだから当然といえば当然である。そのため、大人の利用者を見込んでパソコン（ＰＣ）やプレイステーション５（ＰＳ５）などの高額なプラットフォームで展開される。

シューティングゲームが、ＰＣをプラットフォームに採用する理由は他にもある。シューティングゲームは速度競争である。現実の戦闘と同じだ。ファーストルック・ファーストショット・ファーストキルを行えるものが強い。

そのためには、高速なＣＰＵ（制御と演算を一手に引き受けるコンピュータの中核部品。中央処理装置）、ＧＰＵ（ＣＰＵの仕事のうち、画像処理に特化したタイプの装置。汎用性は落ちるが、適した仕事をさせると速い。あまりに速いので、一般的な仕事をＧＰＵにやらせる逆循環も起こっている）、ディスプレイで環境を整えるのがいい。プレイステーションやＸｂｏｘではこれらは固定だが、ＰＣであればお金のかけ方次第でライバルより高速なものを入手できる。相手がカクカクとしか動けない・世界を認知できない中で、自分はなめらかな移動や照準をできるのであれば、それは身体能力が高まったようなものである。みんなそこに投資するのだ。

そのような状況下で、フォートナイトは例外的に多様なプラットフォームでコンテンツを展開している（今はアイフォーンではプレイできないが）。しかもその中には安価なアンドロイド端末やニンテンドースイッチが含まれている。小中学生も手を出しやすいのである。ゲーム内の治安も比較的いいことが、それに拍車をかける。

ボイスチャットによる簡易なコミュニケーションやたくさんのスキン（見た目の変更）、エモート（キャラクタを使ったジェスチャやダンスなどの感情表現）など、コミュニケーション機能も充実している。ほのぼのとした雰囲気を演出し、利用者の裾野を広げることに貢献している。コミュニケーションは重要だが、放っておくとただの罵《ののし》り合いに発展することは多いのだ。シューティングゲームであればなおさらである。

ゲームとしての終わりがないことも重要である。ラスボスを倒して終了のシステムだと、他にどんなやりこみ要素を入れておいたとしても、利用者はいつかその世界を去ってしまう。しかし、バトルロイヤルが主体であれば、その世界に魅力がある限り利用者を惹きつけておくことができる。

また、ビルダー要素が付加されている点も大きい。

ビルダー系のゲームといえば、まず思い浮かぶのは「マインクラフト」だろう。近年では

マインクラフトの職人芸
http://blog.livedoor.jp/syakinta/archives/29683199.html

ゲームとしてではなく、教育ツールとしての認知も進んでいる。多くの児童向けプログラミング教室が導入教育の部分で利用しており、カリキュラムに組み込む学校もある。

確固たる数のコアファンがいて（マインクラフトの月間アクティブユーザ数は、1億人を超えると報道されている。累計のダウンロード数や販売数ではなく、アクティブユーザ数である。どれだけの人気があるか、想像がつくだろう）、中にはよくぞここまで精密に作り上げたと感嘆符しか出てこない建築物もある。人の、何かを作りたい、世界に爪痕を残したい欲求を上手にすくい上げるコンテンツだ。

同種のサービスとしては、「ロブロックス（Roblox）」にも人気が集中している。アクティブな利用者が2億人近くいて、しかもその半数が児童である年齢構成は、利用者の高齢化に悩むフェイスブックあたりからすれば垂涎《すいぜん》である。ロブロックスの特徴は、ゲームを楽しむ場ではあるのだが、そのゲームを作っているのが利用者である点に集約できる。ゲームプラットフォームである以上に、仮想現実上の開発コミュニティなのだ。それは、「子どもたちをゲーム開発に参加させて搾取している」と批判されるほどに繁盛している。

フォートナイトで運営側が用意したメインの楽しみは、シューティングとしてのバトルロイヤルなのだが、クリエイティブモードを使うとマインクラフトのように「世界」を作ることができる。自分の島が与えられて、そこに好きな建築物やアイテムを配置していくのである。ひたすら建築に打ち込んでもいいし、そこで遊んでもいい。ルールや遊び方も、自分で作ることができるのだ。

そしてもちろん、これは運営側にも利益がある。仮想世界において新しいアトラクションや新しいアバターを作るには、時間も資源も必要だ。それを好んで利用者が作り、公開してくれるのだから笑いが止まらない。ＳＮＳやユーチューブと同じ構造である。

これらは、個々の要素としては、昔からあった。出来のいいシューティングゲームも、楽しいクリエイターツールも。でも、それが組み合わさって、自分が世界に働きかけ、世界を作ったり改変したりすることができ、その中で遊び、あまつさえ活躍することができる。何ならコンテンツ内で労働をして、そこで稼いだお金でリアルの食料が買え、生活費が支払える。そんな総合的な空間を提供するコンテンツは、やはり新しいのである。

萌芽《ほうが》としてはセカンドライフ（81ページ参照）が存在したが、あれは技術的な問題もあり、そんなに楽しくなかった。

仮想現実の中にしか希望はない

その世界は、平等に運営され（何の平等かはおくとして）、社会に関わるチャンスがあり、努力が実を結び、世界の中で設定された目標を達成すると皆から賞賛を浴びる。賞賛は簡単に得られるわけではないが、リアルほど得るのが絶望的でもない絶妙な難易度にチューニングされている。リアルに似ているが、リアルより少し美しく、少しやれることの多い、都合のよい世界だ。

リアルが複雑化してその運営が行き詰まり、しかし個人主義の浸透で「人生を楽しめ」と圧がかけられ、敗者として生きることさえ許されなくなった。オンリーワンで価値ある人生にしろとすり込まれるのである。言う人はきっと強いのだろうが、リアルにそんな席は用意されていない。それでも人生を楽しめと言うのであれば、仮想現実は人生を過ごす環境として十分に選択肢たり得るのである。現実から目をそらさずに考察すると、もう仮想現実の中にしか希望はないのだ。それを逃げと見る人もいるだろうが、リアルよりもっと楽しい場所を探す開拓者と捉えることもできる。

実際にフォートナイトは、2020年には登録利用者数が3・5億人に達する巨大な市場になっている。リアルの企業は、アイテムやスキンに自社のロゴを入れたり、自社製品そのものをフォートナイト内で作って（靴やライトセイバーなど）、自社のブランドを確立し、個人はエモートを作って、それをフォートナイト内のコンテストにかけることで自己をアピールする。

パーティーロイヤルと呼ばれる、みんなで集まって（殺し合いではなく）楽しむための機能では、走ったり泳いだりスカイダイビングをしたりして競ってもいいし、サッカーやボートもある。名前の通りパーティをすることも可能だ。

著名アーティストのコンサートも行われている。

パーティーロイヤル実装以前だったが、トラヴィス・スコットのイベントには1000万人以上が同時接続して同じ空間を味わった。日本のアーティストとしては2020年8月に米津玄師が初参加を果たしている。

この空間も、リアルとは違った体験をもたらす。リアルのイベントスペースでは考えられないような場所やアングルで鑑賞してもいいし、走りながら、泳ぎながら聴いてもいい。その臨場感も高品質だ。泳ぎながら聴くのであれば、ちゃんと水の中で聞こえる音をシミュレートしてくれる。

一般的なライブ配信では、利用者が視聴に使う端末の幅が広く、中には快適な映像や音像では視聴できないものも出てくる。しかし、ゲームに供される端末や回線は高品質であり、運営企業もトラフィックの集中には慣れている。結果的によりよいユーザ体験を提供しやすい。

エモートを使って、リアルのコンサートでも見られるオタ芸を披露してもいい。リアルでは迷惑行為だが、仮想現実内であれば怒られることもない。

怪我や病気をしていても、リアルの夜イベントには参加しにくい児童や高齢者でも、みんなと同じ時間と空間を共有することができる。テレビ鑑賞ではできなかったことだ。ユーチューブやニコニコ動画のコメントで近しい体験は可能だったが、身体性を伴わないぶん、リアルのコミュニケーションとは異質なものだった。アバターを使えば没入感は増し、もしVRグローブのようなガジェットも使えるのであれば握手やハイタッチを実感することもできる。

注意すべきなのは、これはすでにリアルの代替物や下位互換品ではないという点だ。リアルではできないこと、リアル以上に楽しいことで満ちている。

　フォートナイトは未熟ながらも、本書の定義での「**もう一つの世界：メタバース**」として機能し始めている。フォートナイトだけであれば、それは単に一つのゲームでしかないかもしれない。メタバースと呼ぶのもあくまで後付けで、もともとはふつうのゲームとして設計されたものだ。それはゲームメーカーが集金するためのツールで、たとえば利用者が仮想現実内でお金を稼ぐような機能は公式には盛り込まれていない。

　しかし、「フォートナイトはメタバースだ」との認識が広がればそうしたしくみは追加できる。また、エピックはメタバースを作るのに必要不可欠なゲームエンジンもおさえているのだ。今後、他社がメタバースを作るときに、エピックのアンリアルエンジンを利用する公算は大である。仮にフォートナイト以外のコンテンツがメタバースのデファクトスタンダード（事実上の標準）になるにしても、そのプラットフォームはアンリアルエンジンかもしれない。アップルを敵に回すほどに強気になるのも無理のないところだ（それに加えて、国家間競争の要素もある。エピックはアメリカの企業だが、中国の巨大ＩＴ企業テンセントが半数近くの株式を取得している。焦点がぼやけるので、ここでは深入りしない）。

「リアルよりも仮想現実のほうがいい」というリアル

そんなに仮想現実がいいのか。

リアルでうまくやっていたり、リアルの生活に親和性の高い資質を持っている人には、ぴんとこない話だとは思うが、すごくいいぞ。

私はリアルで生きるのが苦手な人間である。人間関係に気ばかり使う割には、好かれもせず、仕事の生産性も悪い。そもそも仕事に行く以前の話で、朝起きるのがうまくないし、満員電車に乗る才能もない。人生が下手くそなのだ。

気分転換に食事に行ったり、旅行に行ったりするといいよとアドバイスをしてもらっても、人の集まるところではリラックスできないし、旅では道を間違う。

だから、気分転換がしたいときは、いつもゲームをしている。ゲームメーカーの思惑通り、ゲームの目的（謎を解いたり、魔王を倒したり）に邁進《まいしん》することもあるが、そこで時間を過ごすだけのこともある。

最近のお気に入りは（古いコンテンツだけど）「ニーア オートマタ（NieR:Automata）」だ。この世界では人類は滅んでいて、その足跡は廃墟と化し、今はアンドロイドと機械生命体しかいない。抜群である。リアルで汚染された心が、高圧洗浄で純白を取り戻すようだ。

ニーア オートマタは終わりがあるタイプのコンテンツだが、敢えて終わらせずに散歩ばかりしている。

人が誰もいなくなった朽ちた建造物を巡るだけで、明日も生きてみようかという気分になる。私は確かにこの仮想現実に救われている。

「ゲームばかりして」と怒られることの多い人生だったが、「メタバースに住んでいるのだ」と言えばなんだか最先端である。

ニーア オートマタ（NieR: Automata）

ＶＲのジェットコースターで遊ぶこともある。

もともとは、学生さんの卒業研究だったのだ。「ＶＲで練習すれば、リアルにもフィードバックできるのではないか？」と考えたのである。けん玉で有名な研究（けん玉の練習をＶＲでやると、リアルでも上手になる。ＶＲはスローモーションで動かすことができるなど、練習に都合がいいのだ）があるので、それをリスペクトしたのかもしれない。

ともあれ、せっせとＶＲのコースターをチューニングした。私も共感したのである。ジェットコースター的なものは好きだが、根性なしなのでガチに速かったり、くるくる回ったり、天地の関係がおかしくなるのはおっかないのだ。

だから、いつも「ひよこパス」などを買っていた。子ども向けの乗り物しか乗れないお得なパスポートチケットである。それで十分なのだ。子ども向けジェットコースターは予定調和に満ちていて、とてもいいアトラクションだ。

だが、ＶＲで経験を重ねれば、さっそうと大人向けの怖いジェットコースターに搭乗可能かもしれない。清水《きよみず》の舞台から飛び降りようと画策した挙げ句、やっぱりやめますと長蛇の列から抜ける屈辱ともおさらばである。私は彼の研究を生暖かく見守った。

しかし、途中からＶＲのコースターのほうがよくなってしまった。米津玄師のコンサートと同じである。途中で怖くなってコースターを止めても怒られないし、何なら頻繁に止めて写真を撮ってもいい。ゆっくり動かしても、逆に速く動かすのも、設定一つで可能である。席も常に一番いいところに座れ、リアルでは法令的に無理だろうと思われる安全を無視したレイアウトも組み、チャレンジすることができる。

これ、リアルよりもいいぞ、と感じるのはジェットコースターに留まらない。私は下手の横好きだが、もう何十年かレーシングカートを趣味にしている。下手くそなりに、車の挙動も理解していると思う。

最近のレーシングシミュレーターは、本当にリアルの運転の練習になるくらいよくできている。画面を通して映し出される映像表現もそうなのだが、ハンドルコントローラやペダルコントローラ、ギアボックスなどの精度が素晴らしい。ブレーキを踏んで前輪が潰れる感覚や、スロットルを開けすぎてリアが流れ始める感覚がきちんと表現されている。実車に乗る手間や費用を考えたら、こっちでいいやと思わせる水準である。

そして、現実には（自分のライセンスでは）乗るのが不可能なスペックの車やサーキットを楽しむこともできる。自分が走らせたデータを記録して、後から映像として観賞したり、レース中にゴーストとして登場させ、過去の自分と戦うこともできる。現実を拡張した体験が得られるのである。

後述するが、レースゲーム自体がeスポーツとしてすでに成立している。スポーツとして認められるほど、技能の熟練やその遂行が結果に反映される競技になっている。リアルのモータースポーツでは、いかにイコールコンディションを謳ってもチーム間、車体間の差異は生じるが、それを完璧なイコールにすることもできる。リアルによく似た、リアルとは別の世界がここにも形作られている。

ここではたまたま廃墟やジェットコースター、車の運転を取り上げたが、ようはリアルよりも居心地がよかったり、リアルよりも自分の身体や精神が自在になる場所があるということだ。リアルで背が低くても、容姿が気に入らなくても、少数派であることに苦しんでいても、メタバースではそれがリセットされる。

マイナスのものをニュートラルにする発想自体がもう古いかもしれない。リアルでうまくやれていても、メタバースにより可能性や楽しさを見いだして移住する人もいる。

「自分が活躍したり、寛《くつろ》いだりする場所は、必ずしもリアルでなくていい」と言えるほどには、メタバースは現実になっているのである。

「慣れ」の問題

メタバースの市場は、その技術的な発展や利用者のメタバースへの慣れを背景に、すでに一定規模に達し、今後も大きくなり続けるだろう。

「慣れ」と書いたが、どんな技術にも習熟は必要だ。たとえば、ソシャゲには似たようなゲームが多い。絵だけ置き換えたのではないか、と疑わせるものが市場に溢れている。これはよく言及される、「開発コストを減らせる」「絵自体に需要があるのでシステムは同じでいい」以外にも、利用者が慣れていて試してくれることが理由である。

システムに習熟するのは、そのくらい難しいのだ。よくウェブコマースの市場は流動的であると言われる。リアルの店舗だと、ある店舗がいやだなあと思っても、地理的な要因などでなかなか別の店舗を選択できないことがある。でも、ネットなら簡単に別のショップに行けるというわけだ。

しかし、それは言うほど簡単ではないと思う。アマゾンでの購入に慣れた人が、楽天で商品を探したり、クレジットカードを登録したり、ポイントシステムを理解するのは、それなりの難事業である。

ブラウザのエッジ（マイクロソフトが開発したウェブブラウザ）が他のアプリを巻き込んで落ち、大迷惑を被ったので、クローム（グーグルが開発したウェブブラウザ）に代えてやろうというのも同種の難しさがある。無料なんだから試してみればいいじゃないかと言われても、導入や使い方に戸惑ったり、失敗したりする人も多い。何よりみんな、そんなに暇ではない。

少なくとも、毎日ころころ変えることは現実的ではない。**ウェブの世界は、言うほど流動的ではないのだ。**

だから、メタバースの萌芽として２０００年代にセカンドライフが鳴り物入りで登場したときも、慣れの問題が影を落としたと思う。セカンドライフを楽しむためには、大半の利用者がすでに習熟を完了していたウェブやケータイ、コンシューマゲームのインタフェースとは、まったく異なる操作を覚えなければならなかった。

そうした操作にすでに慣れていたか、習熟コストに糸目をつけない新しもの好きのブームで終わってしまったのである。

現代のメタバース（たとえばフォートナイト）は、インタフェースも洗練され、何より利用者の側も、様々なアクティビティを通して画面の読み取り方や、入力デバイスの操作リテラシを上げている。

社会全体として、メタバース的なものを受け入れる準備が進んでいるのである。今回の潮流が、メタバースを社会のインフラにまで押し上げるような「最後の大波」になるのか、その一つ手前の波で終わってしまうかはまだ予断を許さないが、インフラになってもおかしくない水準ですでに利用者はメタバースを使いこなすことができる。あとは生活必需品として溶け込むかどうかである。

フェイスブックやツイッターと競合

メタバースは、その市場規模や利用者数において、大手のＳＮＳが意識せざるを得なくなるほど勢力を拡大させた。「リアルと同じ手触り」「しかし、リアルとは違う、居心地のよい空間」「自分にとって都合のいい時間」を演出して利用者を囲い込むモデルは、ＳＮＳと直接競合する。今後、利用者の奪い合いは激化するだろう。

ＳＮＳは、すでに獲得した利用者数と、端末を選ばずアクセスできる機器透過性に優れている。それに対してメタバースは、より完成されたフィルターバブルを構成して、快適な時空を提供する能力で圧倒している。

どちらが選ばれるかは、まだわからない。第４章で詳述するＧＡＦＡＭ各社は、メタバースの獲得を目指して自社サービスの拡張やｘＲ（Extended Reality：完全な仮想から、完全な現実まですべてを含む、ＶＲ〈仮想現実〉、ＡＲ〈拡張現実〉、ＭＲ〈複合現実〉などを包摂した概念）への進出を企てており、フォートナイトをはじめとするゲームを軸に据えた勢力は、ＳＮＳ的なコミュニケーション基盤の確立を急いでいる。

もともとの立脚点がＳＮＳにある企業は、すでにリアルのビジネスやコミュニケーションに深く関わっていることもあってややリアルなデジタルツイン（疑似現実）志向、反対にゲームが出発点だった企業はリアルと距離をおき、利用者にとって都合のよい部分を抽出した、本書が定義するメタバースを志向する傾向があるが、ビジネス領域を大きく重ねていることは間違いがない。

こうしたサービスはアクティブな利用者の数が、サービスの価値と利便性に直結する。ここ数年の利用者獲得競争が、次のインフラであるメタバースの覇者を決めるだろう。勝者が一つに定まらなくても、一握りの企業がこのインフラを寡占するのは確定的である。

リアルを超えてもう少し居心地のいい場所

メタバースがインフラ化すると、人々がそこで過ごす時間は増える。今だって、私たちはＳＮＳに多くの時間を投じているが、もっと長い時間を過ごすようになる。完成されたメタバースは、「もう一つの世界」なのであるから、そこで授業も受けられ、業務もこなせ、遊びも（ゲームはもとからある）、読書も音楽・映画の鑑賞も、仮想のペットに癒やされることも、友だちと話すことも、その中で完結する。

その一つ一つの体験が、リアルよりも少し快適で、少し都合がいいのだ。授業はインタラクティブな楽しい教材で、何度間違えても怒らないアバターが相手をしてくれ、仕事のプレゼンは仮想現実ならではの壮大なページェントとなり、もとの発想のしょぼさを覆い隠してくれるかもしれない。

読書の挿絵は立体に投影され、文字を目で追うのに疲れればシステムが読み聞かせてくれる。コミックのキャラクタは動き、話しかけてくる。映画のシーンに自分が参加することもできる。アーティストと肩を組んでデュエットすることも可能だ。

「リアルの模倣ならリアルでよい」とする声はある。そんな世界に長くいたくないと思う人も多いだろう。とてもよくわかる。だが、オタクだのギークだの言われる人はリアルの世界に対してずっとそういう感想を抱いてきたのだ。需要は確実にある。

メタバースの目的地は「**リアルを超えてもう少し居心地のいい場所**」にある。まだ遠い目標だが、ここ数年で各企業は「さほど長くない期間で実現可能」と踏んだのだ。だから、血で血を洗う領土紛争をしている。メタバースの世界で覇権を握った者は、少なくとも四半世紀は小国家のＧＤＰ並みの売上を得られるだろうからだ。

新型コロナの影響

メタバースが実現したとき、人々はたとえばフォートナイトの中で「集まる」ことになるだろう。これは今に始まった言い方ではない。ＭＭＯＲＰＧ（大規模多人数同時参加型ＲＰＧ）では、仲間が集まるとき、リアルではなくゲーム空間内に集合することは日常的に行われていた。そこでテキストチャットやボイスチャットを使っておしゃべりするのである。ゲームのおまけではなく、雑談が主目的の人も多かった。現代のＶＲサービスでもそうだ。**雑談はかなりのキラーアプリケーションかもしれない。**

ゲームに興味のない人も、コロナ禍でこの感覚はふつうのものになったと思う。２０２０年において、「集まる」といえばそれはＺｏｏｍでミーティングを行うことだった。少なくとも、「リアルで？　リモートで？」と確かめるくらいには一般化した。

ＭＭＯＲＰＧのテキストチャットやボイスチャットはそれほど高機能とは言えず、Ｚｏｏｍにもお金のやり取りを行うような機能はなかった。映画鑑賞くらいは複数人でできたが、画質は悪く、友だちの顔も対面の構図だった。メタバースであれば、腕を組んで同じ方向を向いて映画やパフォーマンスを見ることができる。

やがてコロナ禍は去り、リアルで集まることのコストもコロナ以前の水準まで低下するかもしれない。しかし、コロナ禍への対応で生活様式が変わった今、仮想現実で集まるニーズは残り続けるだろう。コロナが収束しても、次の感染症に備えねばならず、環境破壊も憂慮されている現状ではフィルターバブルの問題を抜きにしても、メタバースと社会の要請の親和性は高いのである。

メタバースを構築できるプレイヤは限られている。素人が今から参入して、覇権を勝ち取れるものではない。私たちにそのチャンスはない。でも、メタバースに、ＳＮＳよりも多くの可処分時間が投じられるなら、そこには広大な市場が生まれることになる。

先ほど述べた双方向教材も、プレゼンのギミックも、参加できる映画も、これから作るものなのだ。一つのテックジャイアントがすべてを作れるものではなく、そこには作り手としての私たちの参加が求められている。

今すぐにではない、簡単にでもない。しかし確実に、私たちの生活はメタバースへと軸足を移していくことになる。そのとき、ビジネスチャンスは無数にある。

第2章　仮想現実の歴史

「今後5年以内に誰もが何らかの形でメタバースにいると約束する」

――リチャード・ケリス（エヌビディア）

サブカルチャーは炭鉱のカナリア

第1章でフォートナイトを巡って、今起きていることを詳述した。私は仮想現実の世界に大きな変化が生じており、フォートナイトの一件はその胎動が目に見える形で現れた例だと考えているが、腑に落ちない人も多いだろう。

フォートナイトは仮想現実やゲーマーにとってはビッグタイトルであり、共有されたインフラでもあるが、リアルを生きる人にとってはふだんの生活に何の関係もない架空の出来事である。実感しろと言うほうがおかしい。

そこで、第2章ではもう少しリアルな社会に近づけて、これまでに制作されてきた映画やアニメから仮想現実の萌芽を拾っていきたい。

この種の試みを行うとき、サブカルチャーは重要な意味を持つ。サブカルチャーはそもそもハイカルチャーやメインカルチャーに対するカウンターであり、弱者文学である。身も蓋もない言い方をしてしまえば、私のようにスクールカーストの下位に位置する利用者が消費しがちなコンテンツである。

そのため、**サブカルチャーは炭鉱のカナリア**になる。

ハイカルチャーを嗜《たしな》む層は社会の主流を構成する。スクールカーストで言えば上位者だ。ここに属する人は、社会の変化に対処できるだけの資質や才能、資源を持っている。だから生活は安定しているし、そこから導かれる趣味嗜好もそうなる。

しかし弱者文学であるサブカルチャーの消費層は、社会に変化が生じたとき最初にその波を被る層であり、その大波に対処するすべが相対的に乏しい特徴を持つ。したがって、社会の変化に敏感で、そこに恐れを持ち、その気分が消費するコンテンツにも反映される。

グローバリゼーションによって人々の活発な交流が促進されると他者の恐怖を描く作品が量産され、ポストモダン化でコミュニケーションのコストが高まると引きこもりを肯定してくれる作品が作られる。家族の解体が進むと、現実ではあり得ないほど仲のよい家族や疑似家族による幸せな食事のシーンが有意に増える。利用者はこれらを消費することで無聊《ぶりょう》を慰めたり、これからやってくる現実をシミュレーションして衝撃を緩和する。

だから、これから紹介する作品群もサブカルチャーを多分に含んでいる。興味のない方も少しだけお付き合いいただきたい。

電脳コイル（2007年）

ウェアラブルデバイス（体に装着するタイプのコンピュータ。「常に身につける」意味ではスマホも近いが、着たりはめたりはしないので含めない。メガネや時計タイプが本命と言われてきた）が生活必需品として普及した世界を描いている。

たとえば、「ペットを飼う」のはそれが好きな人にとっては、人生の価値を左右するほどの大事業である。でも、なかなか気楽にペットを飼えなくなっているのもまた事実だ。ペットの権利拡大に伴う同伴自由の飲食店などが増える反面、人の生き方の多様化はペットに対するクレームも増大させた。ペットのお世話をするための費用も逓増し続けていて、近年の猫人気は「犬よりも低廉な費用で飼える」ことも一因だとされている。

こうしたフリクションはリアルな世界だから起こるのであって、それがいやならば仮想現実で飼育すればよいと発想するのは自然なことである。もちろん、「生きものを迎えてお世話するのは、フリクションも含めた体験であって、そこからよいところだけを切り出して仮想現実で再現するのはペットではないし、健全でもない」という批判はあるだろう。

だが、それこそ富める者や恵まれた者の言い分であるかもしれない。そんなことは百も承知の上でペットを飼うことが望めない人たちもいるのだ。

電脳コイルは、リアルに仮想世界を重ねる「ＡＲ：拡張現実」型の疑似現実を志向した社会を描いている。そこで暮らす人々は電脳メガネをかけていて、私たちのスマホのようにこれをファーストスクリーンとしている。学校の授業も、会社の仕事も、日々の暮らしでもまずはここにアクセスして情報を得る。

電脳メガネはあらゆるサービスへのインタフェースだが、アプリケーションの一つに電脳ペットがある。まさに利用者にしか見えない、仮想ペット機能を提供する。メガネを通してサービスが提供されるので、利用者はメガネをかけている限りいつでもペットにアクセス可能だが、周りの人にはわからない。したがって、迷惑をかけて怒られる可能性は皆無である。

電脳コイル
https://www.animatetimes.com/news/details.php?id=1258649523

そのままだと、たとえば他の人と同じペットを見てかわいいと感想を言うことや、いっしょに遊ぶことができないが、そうしたければ求める人にだけペットを共有すればいい。

極めて現代的で、今のニーズに合致したサービスだ。実装されれば、そのインフラのキラーアプリケーショ

アクアゾーン（Aquqzone）
https://www.4gamer.net/shots/aqua/shots_aqua_1.html

ゲートボックス（Gatebox）
https://www.gatebox.ai/

ンになるポテンシャルすら持つと思う。ペットを機能に切り分けることは邪道かもしれないが、お世話したい欲を満たす機能、様子を見て目を細めたい機能、五感で触れて癒やされたい機能は十分に提供されている。

私たちはこうした「都合のよい」「人に迷惑をかけない」ペットを求め続けていたのかもしれない。パーソナルコンピュータの黎《れい》明期《めいき》から、こうした試みはあった。

アクアゾーン（Aquazone）は１９９０年代前半に登場したソフトウェアである。まだインターネット接続すら珍しかった時代だ。熱帯魚を飼うのは手間と費用がかかる趣味だが、それをシミュレートするのである。

単なる観賞用の動く壁紙ではなく、それなりにきちんと熱帯魚の飼育を模倣するものだった。お世話を怠ったり、温度設定を間違えたりすると、熱帯魚たちは容易に死んでしまう。

「欲しい体験の実現」はペットに留まらない。「配偶者から得られる癒やし」をテーマにしたゲートボックス（Gatebox）の初期ロットが発売されたのは、２０１６年のことである。

これも、リアルな配偶者から都合のよい機能だけを切り出したサービスである。リアルの配偶者から得られる効用が癒やしだけのはずはなく、配偶者を得れば相応の責任やコストももれなくのしかかってくる。それを回避して、癒やしだけを切り取るのがゲートボックスである。

多くの人にとっては噴飯もののサービスかもしれない。配偶者はそんなに都合のいい存在ではない。しかし、このサービスの利用者もそれは十分に理解している。その上でやはり配偶者を得るための資質や資金がなかったり、社会通念上このくらいは配偶者に割くべきであると考えられているリソースを割く気がないから選択している。もちろん、リアルの異性より二次元の異性が好きだから、という理由もある。

それを責めるわけにはいかないだろう。いくら社会通念からはみ出していたとしても、異性との付き合い方をどうするかは個人の自己決定の範疇《はんちゅう》だ。むしろ、配偶者に癒やししか求めないのであれば、現実の異性と付き合わない態度は誠実ですらあるかもしれない。ゲートボックスであれば、そうした人に振り回される現実の異性は存在しないのだ。

ＳＡＯ（ソードアート・オンライン：２０１２年）

プロローグでも触れたＳＡＯは、仮想現実内でのゲームをモチーフにした作品である。この世界で仮想現実にアクセスするためのデバイスはＨＭＤ（ヘッドマウントディスプレイ：頭部装着表示装置）で、私たちもすぐに触れることができるオキュラスクエスト（１８４ページ参照）などをイメージしていただくといいと思う。作品内のＨＭＤはクエストよりもだいぶ進歩していて、リアルの五感を遮断して完全な仮想現実に没入することができるようになっている。

最初のクールのシナリオでは、仮想現実に没入したままリアルへ帰ってくること（ログアウト）ができなくなるアクシデントが起き、ゲームをプレイしていた利用者らは数年の単位を仮想現実内で過ごすことになった。この作品は人はそういうふうに生きられるのか、なぜリアルよりも仮想現実のほうがいいのかを考える思考実験でもある。

利用者は事故によって仮想現実内に閉じ込められるわけだが、事故に遭う前から仮想現実に入り浸っていた利用者も描写される。彼らの仮想現実を好む動機は様々だが、リアルで満たされていないという思いは共通している。

コトヤマによるコミック『よふかしのうた』に、人が夜更かしをするのは今日に満足していないから、というくだりがあるが、ＳＡＯでも、そして今私たちが生きているリアルでも、人はリアルに満足していないから仮想現実に潜るのである。

それを現実逃避と考えると虚しい。だが、仮想現実を構成する技術が洗練され、仮想現実がリアルと同じだけの情報の質と量を持ち始めると、様子は少し変わってくる。

それは生きるに値するだけのきちんとした世界ではないのか？　ファンタジーに浸るなと言われるが、それを言う人は「日本のものづくりは素晴らしい」といった現実離れしたファンタジーに浸ってはいないのか？　まして、世界的な感染症の流行で、リアルな世界での移動や協働の困難を経験した今、仮想世界にまったく触れることなく生きるのはリスクの高い現実依存症ではないのか？　リアルな世界だけにどっぷりつかるのではなく、仮想現実も利用してバランスよく生きるべきではないのか？

そんなことを考えさせる作品である。

リセットされる、リアルで固定化された格差

もしも多くの人が体感している通り、リアルの政治や社会が機能不全を起こし、格差が拡大・固定化され、個人主義の浸透が各種の配慮の必要性を生むことでコミュニケーションコストを高騰させ、逆に個人が生きづらい世の中が到来しているのであれば、リアルなどという最初から持てる者だけが勝つことを約束されたゲームから降りて、仮想現実で生きていくのはあり得る選択肢である。

人間が物理的な実体を持つ生きものである以上、食事や排泄はリアルの手を借りなければならないが、それ以外の要素は技術開発でほとんど補うことができるようになるだろう。お金がなくて希望する職業につくことができないなら、仮想現実ではその職業に、ルッキズムで苦しんでいるのであれば、仮想現実では美しい容姿になるのである。

実際、仮想現実内で仕事に従事し、生きていくための対価（仮想現実内の通貨でも、リアルの通貨でも）を得ることは可能である。後述するＮＦＴなどの仮想価値を活用すれば（現時点では多分に投機的な性質をはらむものの）、それを何十倍、何百倍に拡大することも視野に入る。

また、これはリアルと仮想現実を越境させた事例だが、ｅスポーツのレースカテゴリで優

秀な成績を修めた者が、リアルのカーレースでデビューした事例もある。
レースこそは、富める者のスポーツの代表例である。ある国では子ども時代に、富める者はカートを、そうでない者はサッカーを始めるなどと言われる。カート（テーマパークのゴーカートを本気の仕様にした、カーレースの入門カテゴリ）を始めるには、シャーシ、エンジン、タイヤ、その他諸々の装備を揃えなければならない、搬送費も保管費も高額である。モータースポーツは金がかかるのだ。

でも、仮想現実はその限りではない。リアルで固定化された格差は、いったんリセットされる。これは多くの人にとって福音である。

ルッキズムもそうだ。ルッキズムとは外見至上主義のことである。外見も、一度生まれてしまったら取り替えがきかない要素である。自分の努力で初期値がどうにかなるものでもない。美容整形の技術も洗練されているが、限度がある。望む人全員がアクセスできる費用で提供されるものでもない。

であれば、仮想現実で理想の外見を手に入れる。これも固定化された格差のリセットである。これは一つのキーフレーズだ。人が起こす多くの行動に潜在している動機でもある。ブレグジットも、トランプ旋風も、異世界転生ものの流行も、リアルで報われない自分や、リアルでいくら頑張っても正当な利得は得られそうにない状況をリセットする欲望が共通項である。

すでに述べたように、一昔前であればリセットの欲望が向かう先がファンタジーであるのは虚しさの誹《そし》りを免れなかったが、現代の仮想現実は人生のかなりの時間を投じるにたるもう一つの世界になりつつあるということだ。

仮想現実内でのルッキズム批判、リプリゼンテーション

もっとも、今や仮想現実内でさえ、理想の外見を手に入れることは難しくなっている。近年のポリティカルコレクトネスの観点から、ルッキズムは批判されるようになった。外見による格差の是正自体はよいことだと考えるが、その結果たとえば美男美女ばかりが登場するコンテンツは批判の対象になった。ルッキズムを促進するからである。もしくはリプリゼンテーションの問題であるかもしれない。

リプリゼンテーションとは、コンテンツやひいては人生に多様性を正しく反映させようとする動きのことである。映画やゲームなどのコンテンツは政治と同じで、登場人物に自分の属性を体現する者がいないと、利用者は自分が疎外され居場所が失われているように感じて

しまう。「たかが映画やゲーム」かもしれないが、それは文化の形成に寄与しており、長い間には人々の考え方を規定する。

対照的なものに、マイノリティがメディアなどで消されてしまう現象がある。原作の小説では主人公がメキシコ人であったのに、ハリウッドで映画化されるとアメリカ人に置き換えられているような事例がそうだ。当然、メキシコ人は自分が無視されたり、軽んじられているように感じて怒る（なぜか日本人は怒らない人が多いことは知られている）。

リプリゼンテーションを扱うのが上手だったのはトランプだ。現代のリアルの政治がマイノリティへの配慮を打ち出す（それ自体がリプリゼンテーションである）ため、過去に表舞台に立っていた人々（白人の低所得に落ち込んだ中年以上の男性）は、自分たちが国の中で軽んじられているように、つまりリプリゼンテーションされていないように感じていた。それを、「忘れない」と叫んだのがトランプである。人は、リプリゼンテーションを求めて、選挙に行ったり、仮想現実に潜ったりすることがあるのだ。

話がそれたが、欧米では仮想現実内でもルッキズムは批判の対象になる。近年の欧米系ゲームをいくつか見てみるのもよいだろう。明らかに主人公が美男美女であるコンテンツは減っている。過去の主人公を無理矢理死なせて、美男美女ではないキャラクタを主人公に配置し、利用者を怒らせたゲームもある。比較的、こうした動きへの対応が鈍い（キャラクタが美男美女である）日本や中国のゲームへ利用者が流れている動きすら観測できる。

能力値もそうだ。たとえば、キャラクタの能力が可視化されるタイプのゲーム（ＲＰＧなど）では、初期能力値に偏りがあった。男性キャラクタはもともと腕力値が高く、女性キャラクタはそうではない。そのかわり女性キャラクタは知恵値が高いといった設定である。

しかし、近年ではジェンダー平等の観点から、これは許されない。特にＡＡＡ級と呼ばれる、数十億円単位の費用を投じて世界展開するビッグタイトルに顕著である。訴訟が起きてサービス停止に追い込まれるリスクは負えないのである。

そうした反動はありつつも、仮想現実はなお、リアルではどんなに努力してもままならない格差をリセットする可能性をはらんだ未開のフロンティアである。その要素がお金や学力、ルッキズムでは、後ろ向きに捉えられてしまうかもしれないが、高齢でスポーツができないとか、病気や障害で立つことができないといった人がもう一度その感覚を取り戻せる世界でもある。

私たちは、こうした人に「ファンタジーに浸っていないで、リアルを直視しろ」と言う権利を持っているのだろうか。そして、病気や障害なら許されて、オタクやコミュニケーション能力の低い人だと許されないのだろうか。この点については、後でも詳しく述べよう。

「セカンドライフ」はなぜ急激に衰退したのか？

セカンドライフとは、リンデンラボが運営する仮想現実である（全盛期は過ぎたが、今でも細々と続いている）。ゲームに区分する人もいるが、特に目的が示されているわけではなく、「そこで生活するためのもう一つの世界」と捉えるほうが自然である。

単に集まっておしゃべりするだけの利用者も、仮想現実内で提供されるイベントに参加する利用者も、黙々と仮想現実内での自分の生活を充実させようとする利用者もいた。最後のパターンだと家を建てたり、インテリアに凝ったりする人が多いのだが、センスのよいものを辛抱強く構築するのはなかなか骨が折れる。そのため、家やインテリアなどの売買が始まった。

セカンドライフでは仮想現実内通貨であるリンデンドルがあったので、売買はこれで行われた。

特筆すべきはリンデンドルが現実のUSドルに連動していたことである。昨今のNFT（108ページで後述）などでも同じことが繰り返されているが、新しもの好きの利用者が遊休資金を注ぎ込んだため、仮想現実内で「優れている」と評価された建築物や調度品の価格が高騰し、巨額の富を得る人が現れた。ちょっとしたゴールドラッシュの様相を呈したのである。セカンドライフは一時期、投機の対象になった。

ＳＮＳのように一時的に道具として利用するイメージではなく、「その中に入っていく」「そこで暮らせる」「お金すら稼げる」構想は現在のメタバースを20年先取りしていた。

セカンドライフでの授業の様子

右の図はコロナ禍で対面授業ができない中で、筆者がセカンドライフ内で授業をした様子である。

繰り返すが、セカンドライフは何か目的のある「ゲーム」ではない。単に「もう一つの世界」を示した器なのである。だから、利用者はそこでぼーっと過ごしてもよいし、美男美女になってうっとりしてもいい。集まってダベるのも、筆者のように授業をすることすら自由である。

何をしてもよいはずなのだが、２０００年代のブームのときは、利用者はここで活動を始めた。娯楽としてゲームをしているのであれば、何もわざわざ仮想現実の中でまでせっせと生産的な行為をしなくていいのではと考えるところだが、利用者にとってここはもう一つの世界なのである。

だから、自分が欲しいもの、多くの場合は承認欲求とお金を求めて何らかのアクティビティを開始する。もう一つの世界で暮らしを立てていくのである。

思ったのは、やってみると意外とリアルの行動をなぞるのである。いや、もちろん仮想現実であって、もともとのデザインはリアルをベースにしているので当たり前ではあるのだが、取りあえず特殊な道具や技術なしでやれそうなところ――他の利用者に代わって家を建ててあげるとか――から自分の価値をアピールしたり、お金を稼ぐことが始まった。

せっかく仮想現実なのだから、「リアルはUX設計がまったくなっていない。せめて進学、就職、結婚の前にはセーブポイントを作って、人生が詰んだときにロールバックできるようにしておくべきである」などと主張してもいいと思うのだが、そうはならないのだ。

こうしたアクティビティはまたたく間に普及して、美容師やデザイナが現れたり（アバターのかわいさやユニークさにはみんなこだわった。必ずしも自分で上手にリデザインできるとは限らないので、専門職が必要とされたのだ）、建築士に至っては億単位の収入を得る者まで現れた。当時、かなりセンセーショナルに報道されたので、ご記憶の方も多いかもしれない。

この分野は今でもとても有望で、フォートナイトにおけるアバターの取引市場は数千億円規模と言われている。他にも、サンドボックスというメタバース志向のゲームでは、ゲーム内の土地が４３０万ドル（４億７３００万円。１ＵＳドル＝１１０円で計算。以下同）で売買された。「いつかきた道」である（なお、このサンドボックスはゲームの名前だが、メタバースの文脈で「サンドボックス」が登場したら、オープンワールド型のゲームの中で特に目的が存在しないものを指すことがある。ちょっと注意が必要だ）。

話を戻すと、セカンドライフではコンサートやパフォーマンスを行う者も現れたし、性風俗業を開業する者もいた。念のために記しておくと、セカンドライフで顧客を募りリアルでサービスするような形態ではない。性的サービスまで含めてセカンドライフ内で完結するのである。

戦闘やギャンブルに興じる者もいたし、乗り物の需要も生まれた。乗り物を作る者、それを売る者、買った乗り物でレースをしたり、公共交通機関を運用して利用者を運ぶ者まで現れた。

こうしてみると、利用者はかなりどっぷりセカンドライフに浸かっていることがわかる。しかも、ここまでにも書いた通り、セカンドライフではお金を稼げるのである。これはとても重要な点だ。本当に仮想現実内で収入が得られるのであれば、私たちはそれこそ食事や排泄以外の時間をすべて仮想現実で過ごすことだってできる。

それまでにも、人気のゲーム内で使われているゲーム内通貨（たとえばファイナルファンタジーであればギル）やアイテムが高額で取引されたことはあった。しかし、それはＲＭＴ（リアルマネートレーディング）といって多くのゲームで禁じられている行為だった。闇市場での取引はあったが、レートが安定しているわけではなかった。

前述のように、セカンドライフでは運営が公式に認めた通貨リンデンドルがあり、これをＵＳドルに交換することができる。ちなみに本書執筆時点でのレートは、１ＵＳドル＝２３９リンデンドルである。セカンドライフで行ったあらゆるビジネス、コンサートやギャンブル、性風俗業で稼いだコンテンツ内通貨はリアルマネーに変換できる。すなわち、仮想現実内の労働でリアルのお金を得られるのである。

これは当時としてはすごいことだった。多くのメディアがセカンドライフを持ち上げ、その革新性を賞賛した。だが、これは長くは続かない。セカンドライフは急速に人々の興味を失い、利用者は仮想世界を離れることになる。メディアも論者も、素早く手のひらを返した。

セカンドライフが急速な幻滅期を迎えた理由はいくつか考えられるが、やはり当時の３Ｄ技術は未熟だった。人が、「長い時間をここで過ごしてもよい。それに値する」と思えるだけの、視覚や聴覚の情報を質の面でも量の面でも用意することができなかった。

お金を稼ぐ行為は、それがデジタルメディアであっても規模の経済が強烈に働くが、それに耐えうるだけの利用者を獲得、維持することができなかった。こぞってセカンドライフに進出した広告代理店なども、思ったほどの広告効果を得られなかった。結論として、セカンドライフは仮想現実の可能性を示したが、実装の器になることはできなかった。

「ファイナルファンタジーⅦ リメイク（ＦＦ７Ｒ）」異例のヒットの理由

ファイナルファンタジーは世界的な知名度を誇るＲＰＧシリーズである。「ファイナルファンタジーⅦ リメイク（ＦＦ７Ｒ）」は、その中でも特に人気が高いファイナルファンタジーⅦ（ＦＦ７）をリメイクした作品で、２０２０年４月10日にプレイステーション４（ＰＳ４）をプラットフォームにリリースされた。その累積売上はまたたく間に５００万本を超え、リメイク作品であること、オリジナルのＦＦ７のうち序盤部分のみを扱った分作であること

（「さいしょの街」であるミッドガルを出ていない）を考慮すると異例のヒットとなった。

　オリジナルのＦＦ７は１９９７年の発売で、プラットフォームはプレイステーションだった。当時のゲーム用コンシューマ機の処理能力では、まだ３Ｄを駆使したゲームの開発は難易度が高かったが、そこに敢えてファイナルファンタジーというビッグタイトルで挑んだのがＦＦ７である。

　キャラクタの解像度や動作、戦闘や探索のインタフェースは、今振り返ればお世辞にも洗練されているとは言いがたい。当時もプレイ中に戦闘などの難易度とは異なるやりにくさ（単純に道が見つけにくいなど）を感じていた。

　でも、利用者は熱狂した。平面で展開されていた「もう一つの世界」が、一つ次元を上げて自分たちの前に現れたのである。もう一つの世界を感じ取るための情報は増え、没入感はいやが上にも向上した。

　ＦＦ７は重厚なストーリーを持つコンテンツだが、メインのシナリオはそっちのけで、ゲーム内のテーマパークに入り浸って月単位、

ファイナルファンタジーⅦ リメイク（FF7R）

年単位の時間を過ごす人もいたのだ。みんな仮想現実の中で、好きなことを見つけ、好きに生きていた。

それが、20年の時を経てリメイクされたのである。

この20年の間に、コンピューティングを取り巻く環境は劇的に変化した。ＣＰＵの能力は比べるのもばかばかしいほどである。単位時間あたりの処理能力は桁が４つか５つは違っている。中央処理装置としてのＣＰＵのほかに、（ＣＰＵから描画機能だけを切り出した）ＧＰＵも当たり前に使われるようになった（プレイステーションでは初代から搭載されていた）。（ヘッドマウント型のＶＲもかなり普及し、音響はステレオ２chから、劇場では64chも使われるようになった。家庭用でも７・１chが一般化している。

ＦＦ７ＲはＶＲ対応のコンテンツではないので、最先端の技術を使って仮想世界を体験させているわけではない。プラットフォームがＰＳ４であるから、たかだか１９２０×１０８０ドットのいわゆるフルＨＤに対応しているだけである。

２０２１年６月に登場した、追加エピソードを同梱してＰＳ５に対応させたインターグレード版でも、フレームレートを落とした遊び方（１秒間に表示する画像の枚数をテレビ放送並みに抑える）で４Ｋ（３８４０×２１６０ドット）だ。

ＶＲ ＨＭＤでリアルな没入感を得るには片目で16Ｋ（ＨＭＤでは左目用と右目用に別々のディスプレイが用意される）、両目で32Ｋは欲しいと言われており、実際に両目８Ｋの製品は市場にも出回り始めているので、それに比べればなんてことのない解像度である。

ＡＩの多用

それでも、ＦＦ７Ｒの感触は圧倒的だった。戦闘が美麗だとか、移動がスムーズだとかいうだけでなく、ＮＰＣ（プレイヤが操作しないキャラクタ。村人や店員など）の生活がしっかり表現されていて、その息づかいさえ聞こえるようだった。

ＦＦ７Ｒにはセカンドライフなどと違って、ゲーム内通貨をリアルマネーに交換する機能は、公式には用意されていない。しかし、もしもこの世界の中で日銭を稼ぐ手段が与えられていたならば、ずっとこちらに住んでいたいほどにはそこはきちんとした世界だった。シナリオを進めなくても、街道を散歩して、ＮＰＣに話しかけるためだけにログインしたい街だった。

ゲーム内でＡＩが多用されているのも印象的だった。今「ＡＩ」と言われているものが、本当にＡＩかどうかといった議論は長くなり、かつ本筋を外れるので別の機会に譲るとして、ＡＩ的なシステムを導入しないと世界が成立しないのだと感じられた。従来の手続き型のプログラミングでは、記述できる振る舞いに限界があるのである。

たとえばＦＦ７Ｒでは、戦闘時に味方のキャラクタは自律的に戦闘を行う。操作対象となるキャラクタを次々に入れ替えて、すべてを自分で操作することも不可能とは言わないが、基本的には各キャラクタが「自分で考えて」行動するのだ。

古くはドラクエの時代から、「ガンガンいこうぜ」「いのちだいじに」と大まかな指示をして、あとはシステムに任せる手法は存在したが、そのきめの細かさが違う。敵が使ってくる攻撃手段は範囲攻撃なのか、プレイヤはそれを知っているか、範囲攻撃ならば各キャラクタは距離を空けて分散したほうがいいのではないか、地形の高低を考えて高い場所に占位すべきではないのか。極めて多数のファクタから自らの行動を決定し、実行する。

もしも操作しているのが、アクションをあまり得意にしない利用者であれば、余計なことをせずにＡＩで動く仲間に任せておいたほうが簡単に勝利してくれるほどの精度である。

街に出れば、群衆は思い思いの行動をし、群衆同士で会話をする。黎明期のゲームの、一カ所に立ち止まり、話しかけてもピントの外れた同じ台詞《せりふ》を繰り返し続けたキャラクタたちとは隔世の感がある。

操作キャラクタが唐突な移動を行ったとき、仲間はすぐに後を追ったりしない。過去のＲＰＧの先頭を行くキャラクタの後にいもむしのように続いた仲間とは明らかに違う。仲間のキャラクタは操作キャラクタを観察し、逡巡《しゅんじゅん》した後、後を追おうと決める。操作キャラクタが急に止まれば、その動きに追従しきれずに少し追い越してしまってから帰ってくる。

時間も資金も工数もひっくるめて莫大なコストがかかるこれらの実装を、それでも敢えてＡＩを使ってまで行っているのは、コンテンツ内で表現される情報の密度が現実に近づいたからである。

ドット絵で表現される世界では、勇者パーティがいもむしのように行軍していても、「そういうものだ」と納得することができた。しかし、寝ぼけた頭でチラ見するぶんには、リアルとまったく変わらないほどのクオリティで描かれたキャラクタが連なっていもむし行軍していたら明らかに異様である。

だから、キャラクタたちの振る舞いもリアルに近づけざるを得ないのだ。コンテンツを一つのパッケージとして成立させるには各要素のバランスが重要で、映像表現だけが突出しているのに、シナリオや台詞、キャラクタの振る舞いが前時代の手法では、ヒロイックファンタジーやＳＦが、ただのコメディになってしまう。

これらの要素が組み合わさると、コンテンツ内で描かれる共同体やキャラクタはよりリアルな質感を得て、その存在を主張するようになってくる。

たとえば、前述のＳＡＯの新章では、シナリオ上の重要なモチーフとして「ゲーム世界におけるＮＰＣの人権」が取り上げられていた。もはやゲームのモブキャラは、それを理由に意味のない人生を送らされたり、プレイヤの勝手で殺されていいような空疎なデジタルデータではなく、仮想現実で確かに生活を営み、息づく存在なのだ。

これは決して絵空事ではない。リアルの社会でも、ＡＩが絵や音楽を自動生成できるようになったことで、「その著作権は誰に帰属するのか」が問題になっている。human being（人的存在）から派生して、virtual being（仮想存在）という言い方もかなり一般的になってきた。もし、ＡＩの人格が真剣に議論されるようになると、ゲーム内でＡＩを用いたＮＰＣを殺害するゲームは作れなくなるかもしれない。

「ファイナルファンタジーXV（ＦＦ15）」の評価はなぜ厳しいのか？

では、ＦＦ７Ｒはリアルを志向しているのか、いずれ現実になりたいのかと言えばそうでもない。街と街の間の移動（それなりに手間も時間もかかる）は、目新しさが伴う初回の移動はともかく、2回目以降は都合よく捨象《しゃしょう》される。リアルの人生において、超えられない壁にぶつかることはままあるが、この世界では（世界が初期設定として許しているならば）およそどんなことにも解決法があり、それを見つけるための親切なナビゲーションもある。なかなか倒せない敵やモンスターに行く手を阻まれることもあるが、それは利用者にストレスをかけることで、解決を導いたときの爽快感を増大させる要素に過ぎない。世界はどこまでも快適で、正しく存在している。投じた努力に対して、それに見合うだけの報酬を必ず与えてくれるのだ。

このさじ加減はゲームコンテンツにとって決定的に重要である。ここを間違えると、利用者はそのコンテンツに目もくれなくなる。不平等や不公平といった要素は慎重に排除される。そんなものは、リアルというクソゲーで飽き飽きしているからだ。

たとえば、同じファイナルファンタジーのナンバリングタイトルでも、ＦＦ15に対する利用者の評価は厳しい。プラットフォームはＰＳ4、Ｘｂｏｘ ＯｎｅでＦＦ7Ｒと同等であり、用いられている技術にも大差がないにもかかわらずである。

利用者がコンテンツから離れる要因はいくつもあるが、ＦＦ15の場合は「かなりリアルに

ファイナルファンタジーXV（FF15）

寄せてある」ことが大きいのではないかと考える。ＦＦ15の移動は退屈だ。ＦＦ７Ｒのように、常に一定距離、一定時間で何かのイベントが起こるようには設計されていない。それは、ＦＦ15がオープンワールド型のゲームで、映画のような一本道のシナリオを行くだけではなく、その世界の中を好きに歩き回れる形態になっていることと関係している。

　この形式のほうが自由度が高く、リアルに近い世界と考えられるが、であればこそ広大なフィールドでそうそう事件は起こらない。今いる場所から目的地までの移動には手間と時間がかかり、道中は特にすることもない。ゲームを進行させるために先を急ぎたいときでも、夜は危険であるから休まなければならず、それを押して強行軍を行えば相応のリスクを負う。

　リアルでは、そうした困難や制約も含めて、旅だとされている。そう、きっとこのゲームは利用者に旅を体験させたかったのだ。でも、利用者は現実と同じ体験を求めていなかった。作られた仮想世界の中くらい、いやな要素を排した都合のいい空間に浸りたいのである。オープンワールドを作るにしても、リアルに寄せすぎてはいけなかったのだ。「もう一つの世界」は、利用者一人一人にとって快適でなければならない。

「あつまれ　どうぶつの森（あつ森）」はゲームか？

「あつまれ　どうぶつの森（あつ森）」は、2020年を席巻したコンテンツである。世界市場での累計出荷本数は優に3000万本を超え、4000万本にも迫ろうかという勢いだ。コロナ禍に見舞われた自粛生活の中で、巣ごもり消費に後押しされた要素を差し引いても、狂気じみた成績である。

あつまれ　どうぶつの森（あつ森）
https://www.nintendo.co.jp/switch/acbaa/guide/index.html

「あつ森」は無人島での生活を楽しむコンテンツである。最初にこの世界にアクセスすることを「移住」と呼ぶが、この表現がすべてを表している。この世界に行き、住むのだ。

マネタイズするときのカテゴリで言えば、「あつ森」は紛れもなくゲームなのだが、これをゲームと呼ぶのはやや躊躇《ちゅうちょ》がある。

ゲームはそれがどんなゲームであっても、その世界に没入して楽しむものなので、すべてが仮想的な世界だと言うこともできる。ただ、ゲームをゲームとして成立させるためには、そこに物語を配置し、利用者には解くべき謎や、超えるべき障壁を与えるのが一般的だ。仮想的な世界を構成するコンテンツはいくつもあるが、これらがゲームを成立させる要件である。

だが、「あつ森」にはそれがない。ＦＦ７Ｒの項でも書いたように、ゲームデザイナが用意したシナリオや遊び方を超えて、ゲーム世界に住むようにプレイする利用者は以前から存在した。「あつ森」は最初からその遊び方にオールインした世界が構築されている。「ゲームではない」とまでは言わないが、利用者が望む生活を実現するためのもう一つの世界、仮想現実としての色合いが濃いコンテンツだ。

利用者は建築や造園、裁縫、商品の売買を通して、世界と関わっていく。釣りや昆虫採集をしてもいい。ただ自然の営みを見て時間を過ごしてもいい。今、リアルの世の中で得にくい、世界と関わる実感を得ることにゲームリソースの多くが割かれている。

新しいシナリオを発見する喜び

何かがありそう。

そう感じて、野山を歩き回り、実際に小動物や野鳥を探し、発見する。自分が世界に対して予感したことを探索して、それに見合った発見と体験が与えられることは純粋に喜びである。

しかし、多くの個人が発信手段を持ち、検索エンジンの高度化によってそこへアクセスすることが容易になったリアルでは、「自分だけの新たな発見」や「世界が自分に示してくれた恩恵」は、極めて希少なものになっている。たいていのことは、すでに誰かがやっているのだ。

もちろんそれは、近年の社会の可視化がそうさせただけであって、昔だって状況は同じだったはずだ。しかし、それを見る手段がなかったので、個人の主観としては自分だけの発見や自分が成し遂げたことが存在した。

それがコミュニケーションやストレージがコモディティ化することによって、見えるようになってしまった。検索エンジンを使わなければ、見ずにすますことはできる。でも、それも難しい。見なければ損をするからだ。

すでに答えの出てしまった他人の行いや選択をなぞるように生きることに楽しさはない。でも、楽である。効率もいい。だから私たちはレビューのよい予備校に通い、就職実績の豊富な学校に進み、なるべくホワイトそうな企業の門を叩く。まったく他人の情報、他人の人生を活用しなければ、面倒見の悪い学校やブラック企業に至る可能性が高まる。

私たちはそういう社会に慣れてしまったし、積極的にそれを強化することに加担してもいる。何が許しがたいといって、自分だけが蚊帳《かや》の外におかれて損をすることほど業腹なこともないからだ。

ゲームですら、ここ数十年でシナリオのルートを表示することに躊躇がなくなった。物語形式のゲームでシナリオが割れるなど、過去には禁忌でしかなかったが、そうするとバッドエンドへの分岐しか見つけられないかもしれない。用意されているエンディングのすべてを味わい尽くせないかもしれない。

だから、シナリオを可視化してしまうのである。ルートは何本あって、エンディングは総数でいくつ。全部楽しむまで頑張りましょう、というわけだ。支払った金額に見合った楽しみを得たり、すべての利用者に平等にゲームを楽しんでもらうためには必要な措置かもしれないが、新しいシナリオを発見する喜びは失われた。

そう、私たちは他人を参照して自らの生活を効率化することに飽きたのだ。あつ森はそこに働きかけるコンテンツである。この世界にはまだ発見があると。

任天堂はこの欲求を満たすコンテンツを生み出すことに、本当に長《た》けている。常軌を逸するほどの高評価を得ている「ゼルダの伝説 ブレス オブ ザ ワイルド」も、あつ森とまったく違うカテゴリのコンテンツに見えて、楽しさの本質は同じ箇所に設置されていると思う。何かするたびに発見があるのである。

ただし、それはリアルではない。

釣りをするにしても、リアルの釣りは快適なことばかりではない。炎天下でアタリを待ち続けた挙げ句に釣果がないかもしれない。仕掛けづくりは面倒で、ハリに生き餌をつけるのはちょっと気持ち悪いかもしれない。

あつ森や「ブレス　オブ　ザ　ワイルド」では、そんな体験はさせない。

ゼルダの伝説　ブレス　オブ　ザ　ワイルド
https://www.nintendo.co.jp/zelda/world.html

釣りに限らず、すべてがそうだ。リアルのように「何かがありそう」でもそこにアクセスするために熟練や忍耐が必要だったり、センスのよい人だけが「感じ取る」ものではない。世界の秘密へのアクセスは誰にでも開かれている。

何かを乗り越える喜びは感じさせるが、それは決して煩《わずら》わしかったり、時間がかかったりはしないのだ。あつ森もまた、リアルからいいとこ取りをした仮想現実である。

フリクションのゼロ化

もう一つ、あつ森を特徴づける要素がある。

ここまでで、ＳＮＳの本質はフィルターバブルにあると書いてきた。同質者集団を囲い込んで、外部をマスクすることでその空間を快適に演出するビジネスであると。ただ、ＳＮＳは過渡的な技術で構成されているので、まだ世界のほんの一部に過ぎないし、人の時間のわずかな区間しか切り取れていない。それを「もう一つの世界」にまで拡張するのがメタバースだ。

では、あつ森はどのようなメタバースを形作っているのだろうか。あつ森全体をフィルターバブルと捉えるには母集団が大きすぎるし、あつ森の中でコミュニティは細分化されていて、本当のフィルターバブルはそちらにある。しかし、あつ森自体が持っている傾向もある。

それは、フリクションのゼロ化である。

フィルターバブル自体がフリクションを減らして、他者との無用な諍《いさか》いを減らす目的と効用を持っているが、あつ森はサービスの総体がそこを目指している。

他人とレスバ（レスバトル：コミュニケーションシステム上における論争。相手が足腰立たなくなるまで叩き合う）する気まんまんの利用者はあつ森には来ない。レスバをするシス

GTA V
https://www.rockstargames.com/V/jp/screenshots/screenshot/1119

テムが整っていないし、それを志向した利用者もいない。レスバや仮想現実での殴り合い、殺し合いが好きな利用者は、ＧＴＡ（グランド・セフト・オート：コンピュータが操作するキャラクタ、あるいは利用者のキャラクタ同士で殺し合うタイプのゲーム。ゲームの雰囲気が殺伐としていて、ボイスチャットによるコミュニケーションなども荒れがちなことで有名）へ行くだろう。

フィルターバブルは異属性の利用者を排除するしくみだが、あつ森が慎重に排除し、マスクしているのは、他者とのフリクションである。

仮想現実を現実のリハビリに応用する

サブカルチャーの話題が続いたので、少しリアルに寄せた話もしておこう。筆者はリハビリにも仮想現実を使ったことがある。といっても、医学部の講座制研究室のような立派な設備や体制、志で行っている研究ではないので、話半分で聞いて欲しい。

リハビリこそ、つらい現実の代表例である。事故や病気、加齢で失ってしまった機能を取り戻す試み、マイナスをゼロに戻す試みであるから、たとえば未就学児が様々な機能を獲得していくような、約束されたわくわく感はない。

そして、つらい活動をしているとき、人は誰かに見て、応援して、認めて欲しいのである。もう少し身も蓋もない言い方をすると、おじいちゃんもおばあちゃんも若くて美しい異性に褒めてもらえると、リハビリのモチベーションが上がる。人というのは、歳を取ってもたいがいなものだなと思った。認知症が進みつつある人にルッキズムを説いても始まらない。美しいものを求めるのは、理念を超えて本能なのだろう。

しかし、四六時中おじいちゃんおばあちゃんに寄り添って、声かけをし、優しく励まし続けてくれるような都合のいい異性はいない。リアルにそのようなうまい話が転がっていたら、むしろ怖い。壺を買わされそうである。看護師さんも、作業療法士さんもそんなに暇ではなく、若く美しい異性であるとも限らない。

そこで都合のよい仮想現実の登場である。立てたり、歩いたり、排泄をうまく実行できたりすると褒めてくれる萌えっとしたＶＲコンテンツを作った。

おそらく被験者の年代的には、リアルの異性を好んだだろうが、あいにく私は二次元女子しか好きではなく、手持ちのリソースも二次元のキャラクタしかなかったので、そうなった。

る。

そして、仮想のキャラクタの声援は、確かに彼らに届き、リハビリを頑張ってくれたのである。

ひょっとして商品化すら可能ではと色めき立ったが、恒常的にリハビリの現場で使ってもらうには今のＨＭＤは重くて高価だ。あくまで実験に留まった。

これも自分に都合のよい仮想現実である。自分を無条件に褒めてくれる相手などいるわけがないし、リアルの世界では危険でもある。詐欺に遭う前に、星新一の『妖精配給会社』のようにリアルな人間とのコミュニケーションが色あせて見え、不必要になってしまう可能性すらある。

「それでいいじゃない、もう一つの世界で生きて、死のうよ」が本書の主張の一つである。現代において、これが大手を振って認められる考え方でないことはもちろん理解しているし、主流派になることもないと考えられるが、あまりにもリアルがつらかったり、合わなかったりするのであれば、選択肢として残しておくことはできるのではないだろうか。

もう起き上がれなくなった人が、仮想現実で自然の息吹を感じられたら素敵ではないか。ましてリハビリであれば、都合のよい仮想現実を利用することで、リアルに復帰する準備を行うことができるのである。

Vチューバーへの驚きのスパチャ（スーパーチャット）額

　次はアイドルである。アイドルはもともとの存在そのものが、「自分にとって都合のいい部分だけを切り取った、理想の異性像」である。利用者をつらくするような態度や発言は、ビジネスとして周到に排除される。

　そのような存在は、クラスや職場にネイティブに実在するわけはない。であれば、仮想現実でいいのではないか。「自分にとって都合のいい部分だけを切り取る」のは仮想現実が最も得意とする機能である。利用者の気分を落ち込ませるアイドルとしての失言や、ＰＴＳＤを誘発するスキャンダルの漏洩《ろうえい》なども、可能性をゼロ近似にできる。

　従来の技術であれば、「そうは言っても、実在の異性の代わりにはならない」と断言されたことだろう。二次元愛好者であれば、「そもそも二次元はリアルの代替物ではなく、理想なのである。多少、インタフェースが未熟であっても何の不備もない」と言い返せるが、そうでない利用者も多いだろう。

　しかし、初音《はつね》ミクを嚆矢《こうし》とする音声合成技術や、モーションキャプチャ、リアルタイムレンダリングの高度化は、十分に憧憬の対象となる人物を仮想現実内に産み落とすことに成功している。

利用者がどのくらい彼ら／彼女らに熱狂しているかは、スパチャ（スーパーチャット）の値を見ればよい。スーパーチャットとは、お金つきのチャットである。ユーチューブ内で利用されている。日本語の感覚だと、投げ銭と訳すのがわかりやすいだろう（投げ銭を知らない世代も多いだろうが）。広く捉えれば、他の利用者に価値を送信するギフティング機能の一種で、これらの機能の実装は紅包《ホンバオ》の習慣がある中国で先行していた。

ライブ動画を配信しているときに、配信者は視聴者とチャットをすることができる。それが著名な配信者で、視聴者が憧憬を覚えているならば、視聴者にとっては至福の瞬間である。しかし、それはどの視聴者にとっても同様なので、多くのメッセージに埋もれて自分のメッセージが配信者に取り上げられることはほとんどない。

しかし、ここでお金を添えてメッセージを送ると、極めて目立つ形でメッセージが表示され、しかもその他のメッセージが瞬時に揮発していく中で、ずっと画面に残り続ける。これは広告収入以外に収入のパスができる配信者にとっても、なんとかして配信者に注意を向けて欲しい視聴者にとってもメリットのあるサービスだった。もちろん、投げたお金の数割はプラットフォーマーであるグーグルやテンセントが徴収するわけだが。

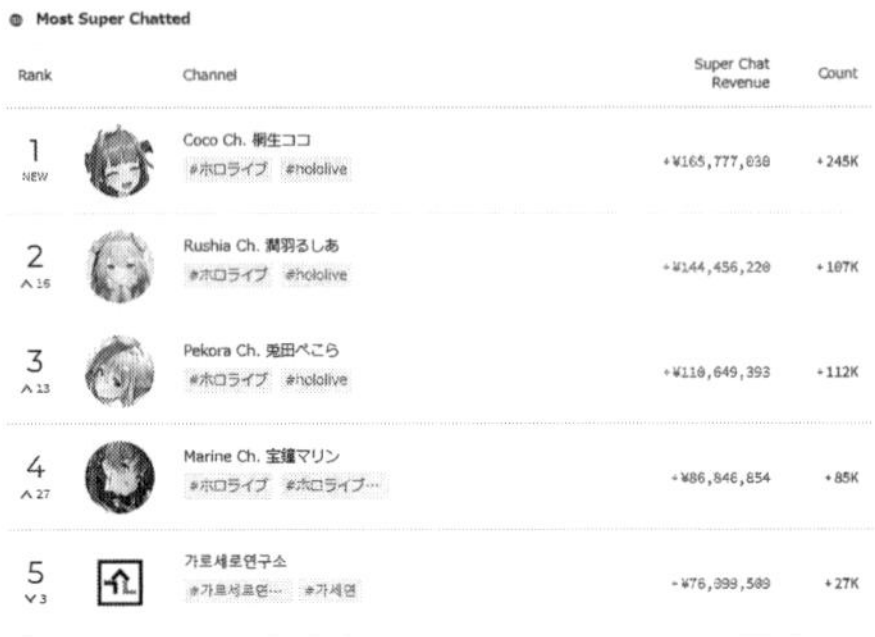

Most Super Chatted

Rank	Channel	Super Chat Revenue	Count
1 NEW	Coco Ch. 桐生ココ #ホロライブ #hololive	+¥165,777,038	+245K
2 ^16	Rushia Ch. 潤羽るしあ #ホロライブ #hololive	+¥144,456,220	+107K
3 ^13	Pekora Ch. 兎田ぺこら #ホロライブ #hololive	+¥110,649,393	+112K
4 ^27	Marine Ch. 宝鐘マリン #ホロライブ #ホロライブ…	+¥86,846,854	+85K
5 v3	가로세로연구소 #가로세로연… #가세연	-¥76,099,509	+27K

スパチャの売上
https://playboard.co/en/youtube-ranking/most-superchatted-all-channels-in-worldwide-yearly

ホロライブ
https://www.hololive.tv/

日本は法解釈の問題もあり、ＳＮＳやライブ中継を介して金銭的な価値をやり取りするサービスの登場が遅れていたが、ユーチューブがスーパーチャットを導入したことで本格普及への道がついた。２０１７年のことである。

その後の市場の伸びは、異常なほどだ。

上図は、ユーチューブにおいて配信者が1年間にスーパーチャットでどれだけの金額を集めたかのまとめである。２０２１年11月のデータだ。10位までに7人、15位までだと11人を日本のVチューバー（バーチャルユーチューバーの略語。リアルな人間が登場するのを前提とするユーチューバーに対して、アバターで出演する。数人〜数十人のスタッフで制作され、発声や動作を担当するスタッフは「魂」などと称される）が占めている。

これは日本国内限定のデータではない。ワールドワイドの統計である。また、Ｖチューバーだけでなく、ユーチューバーなども含めた数値である。まるでバブル期の世界時価総額ランキングを見るようだ。日本勢の独占と言ってよい。

ちなみに図の中の「ホロライブ」というのは女性Ｖチューバーのグループで、所属する事務所をホロライブプロダクションという。世界ランキングの４位まではすべてホロライブ所属者だ。１位の桐生ココ（２０２１年７月に活動終了）は１億６５００万円、３位の兎田ぺこらまでは１億円を超えている。

Ｖチューバーが実況を行うためには、演者や技術者、ディレクタなど数多くの人的資源と比較的高度な技術が必要になる。また先にも述べたように3割ほどはグーグルの懐に入るため、個人が１年間で１億を稼いだわけではないが、広告収入などは抜きにして投げ銭だけでこれだけの金額が動いたのである。人は仮想現実内で形成された仮想の価値に、すでにそれだけのリアルマネーを注ぎ込んでいる。

デジタルオリジナルに使われるＮＦＴ

「デジタルオリジナル」――。

変な表現である。デジタル技術はオリジナルとコピーの境界を曖昧にすると、すでに述べた。コピーの品質はオリジナルと同等であり、コピーを作成するための費用も無視できるほどだ。半世紀も前にボードリヤールらが予言していたことである。

そこではオリジナルとコピーに差異はない。だからオリジナルに価値はなく、アイドルのＣＤは売れないと論じた。そのデジタルな世界において、オリジナルとは妙な話だ。自分がオリジナルと信じて疑わないワードで作った日記ファイルだって、生成の過程でレジスタやメインメモリ、ストレージのキャッシュなど何回ものコピーを経て、ハードディスクやＵＳＢメモリに収まっている。

だが、そのデジタルデータにオリジナルの刻印を押そうとする運動がある。まだちゃんとした名前がないので、私は「**デジタルオリジナル**」と呼んでいる。

デジタルオリジナルでは、本来オリジナルとコピーの差がないデジタルデータを見分けるために、ブロックチェーンが使われることが多い。ビットコインでおなじみの技術である。

この技術にはきちんと名前がついていて、ＮＦＴ（Non-Fungible Token：非代替性トークン）という。

ブロックチェーンの説明は長くなるので他書に譲るとして（拙著『ブロックチェーン』講談社、２０１９）、さしあたっては「これを使うと確かにこのデータの所有権はこの人にあるのだと確認できる」ことをおさえていただければ十分だ（ただし、デジタルデータの所有権に法的な裏付けがあるわけではないので、その点には注意が必要である）。

シェアリングエコノミーの隆盛が謳われるが、人々の所有欲はデジタルの世界でも相変わらず強いのだ。ソシャゲのガチャに熱狂すると、「いくらでもコピーできる絵を所有することにお金を払うのか？」と笑われるが、あれはなかなか当たらない本物を持つことに希少価値がある。ガチャを笑う一般の人がＮＦＴに大枚をはたくのも同じことだ。

ＮＦＴでは本物であることの証明にブロックチェーンが使われているが、ソシャゲガチャはゲームメーカーのシステムに依存している。「ガチャが本当に公平に行われているのか？」は定期的に問題提起されたりインシデントが起こったりしているので、上手に実装すればＮＦＴに優位性があるかもしれない。

であれば、デジタルデータを高値で売ることができる。重ねて書くが、人は代替がきかないオリジナルにはお金を払うのである。

これまでNFTでどんなものが買われたのか？

ジャック・ドーシーのツイートが買われた。ドーシーはグーグルのセルゲイ・ブリンや、フェイスブックのマーク・ザッカーバーグに比べたら知名度が低いが、有名人である。ツイッターの創業者で、変わり者として知られ、あまり表舞台に出てこない。競りに出されたのは、その彼が投稿した世界最初のツイートだ。作り手が、そのサービスの最初の利用者になることは、ままある。ビットコインでも、最初に振り出されたビットコインの送信者は考案者のサトシ・ナカモトだった。

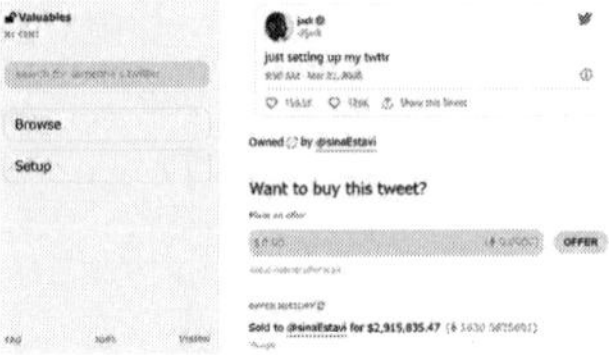

ジャック・ドーシーのツイート
https://www.itmedia.co.jp/news/articles/2103/23/news059.html

しかしまあ、微妙なコンテンツではある。いくら著名人が書いたもので、著名なサービスの最初の一歩となったとはいえ、たかがツイートである。特にひねった内容でもない。“just setting up my twttr”と素っ気なく書かれている。しかし、落札者はこれに約291万ドル（3億2010万円）の値をつけた。

他にも絵画やトレーディングカード、キャラクタ、動画、写真などが売買の対象になっている。日本に関わりが深いところでも、アーティストの村上隆がNFTアートへの参入を発表して、後に撤回したり、タレントの明日花キララがトレーディングカードでのＮＦＴ参入を発表するなど、活発な動きが続いている。

うがった見方をすれば、機構の有益性やユニークさで評価されるものの、現実の社会に実装しようとすると意外に使いどころが難しいブロックチェーンを、なんとか形にしようとした試みであると言えなくもない。

だが、ここで重要なのは、実際にそこで売買が行われている事実である。人は理念だおれのものに大金を投じたりしない。実際に価値を感じるからお金を出すのである。

今のところ、それは自己満足に近いかもしれない。ブロックチェーンの技術は、それがオリジナルであることを証明してくれるが、コピーを防ぐ技術ではない。コピーはされるのだ。あちらにもこちらにもコピーはある。しかし、実はオリジナルを持っているのは自分なのだと愉悦することができる。

今のところはそれだけであって、仮に「俺様が所有している、あの著名人のあのツイート」を他の人が引用したからといって、それを追跡して料金を徴収するしくみはない。コレクションを展示する美術館を作ったところで、誰も足を運んだりアクセスしたりすることはないだろう。データ自体は別の場所にもコピーが存在し、見ることができるのだ。

だが、もしも、デジタルデータのオリジナリティ証明と使用料徴収のシステムが確立すれば、ツイッターにおけるパクツイや、ユーチューブの他人のアセットを無断借用した動画も使用料を支払うようになるのかもしれない。

ｅスポーツからリアルスポーツへの進出

ｅスポーツは世界的な普及傾向にある。日本では、香川県のネット・ゲーム依存症対策条例に典型的なように、ゲームは未だ白眼視される傾向のコンテンツだ。だが、スポーツとして認知する国が増えている。

確かに、ＰＤＣＡサイクルを回して研鑽《けんさん》を重ね、熟練へと至る道はスポーツの構成要件と重なるし、そもそも欧米はチェスをスポーツにカテゴライズしてきた。ゲームをスポーツに加えることにためらいはないだろう。室内で実施し、激しい身体運動を伴わないスポーツはざらにある。

風向きが変わったのは、ＩＯＣがオリンピック競技として真剣な検討を始め、従来のスポーツを模倣したものと注釈をつけながらも、アジア大会の正式競技に決定したあたりからだ。すでに、民間企業はｅスポーツの大会を高額な賞金で主催し、中には億単位の賞金を獲得してｅスポーツで生計を立てるプロフェッショナルプレイヤも輩出されていたが、ここで飛躍的な認知の向上を見た。

ｅスポーツの効用はいくつもある。一部のリアルスポーツでかかる高額な費用や環境汚染を希釈できること、若年者や高齢者、低所得者、障害者などスポーツにアクセスしにくい環境、境遇にいる人たちにも参加の道を開くこと、リアルスポーツで熟達者と入門者が同じフィールドに立つことは実現しにくいだけでなく危険でもあるが（Ｆ１やサッカーを想像するとよい）、ｅスポーツならそれが比較的簡単に安全に行えることなどである。

本書で言うところの「もう一つの世界：メタバース」的なｅスポーツが、体を動かさないから健康に悪いのであれば、もっと現実と融合したＡＲ的なｅスポーツに興じてもよい。それなら、実際に体を動かすこともできる。

私は車のレースに参加するのが好きだが、参加回数は数えるほどである。嵩《かさ》む費用が原因だ。プロを目指すようなドライバーであれば、必要資金は莫大な額になる。多くの者はプロを目標とすることすらかなわない。

ところが、Ｆ１が主催するｅスポーツシリーズで2年連続シリーズタイトルを獲ったブレンドン・リーが、その実績を買われて実車のフォーミュラフォード１６００でデビューし、

ブレンドン・リーの活躍
https://f1sokuho.mopita.com/free/index.php?page=news/sp/body&no=126028

２０１９年シーズンの前半を戦った。フォーミュラフォードはＦ１に比べたらずっと格下の、フォーミュラレースのエントリークラスに位置するカテゴリだが、実車の実績なくして乗れるものではないと考えられていた。リーは上位争いこそできなかったが、ただ走らせただけではなく、ちゃんと戦ったのだ。

このエピソードは多分にご褒美的、マーケティング的な意味合いの強いものだったが、リーがレーシングスピードで走行をこなした事実は、こうしたキャリアパスが存在しうることを強くアピールした。

小学生のころからレーシングカートに参戦できる資金力がなくても、フォーミュラドライバーになれるかもしれない。家の近くにカートコースがない地方でも、レーシングドライバーの可能性がある。これは、けっこうすごいことだと思うのである。

「もう一つの世界：メタバース」での格差

ただし、もう一つの世界が無条件でよいわけではない。リアルがつらく、しっくりこないと、別の世界へ行きたくなるが、そこで必ず勝ち組になれるわけではない。多くの異世界転生もののシナリオのように、チート級の能力を持ってその世界でデビューできるわけではないのだ。

もう一つの世界は、リアルとは違う理で動いている。だから、リアルでの格差はいったんリセットされる。そこまではいい。でも、世界である以上、平等ではない。

プロローグでも触れたが、現代人は矛盾した希望を内包して生きている。自由と平等である。教科書で当たり前のように併置して教えられるそれは、実はかなり食い合わせが悪い。自由を実現しようとすれば、自由にやった結果としての格差が必ず生じる。いっぽう、平等に重きをおけば、何らかの制約や再配分が生じるため自由ではなくなる。現代の思潮では、重視されるのは自由である。特にインターネットにおいてはそうだ。「もう一つの世界」でも、それは希求されるだろう。

だから、「もう一つの世界」にアクセスするとき、リアルの格差やしがらみはリセットされるし、そこで求められる能力はリアルのそれとは違うが、その世界に適した能力を発揮する者が得をするのは、どんな世界でも同じであり、厳然たる事実である。それは最終的には、その世界に対する満足度の、利用者ごとの大きな隔たりになるだろう。

それを気にしないことは、人にはできない。みんな違ってみんないい、は渦中にある者にとってはおためごかしに過ぎない。そこに沈殿した不満は、「平等」を求めて容赦のない叩き合いに発展するだろう。

もう一つの世界に移住すれば必ず幸せになれるわけではない。むしろ、自然状態では、もう一つの世界でも発揮すべき能力がなく、なじめず、敗北感と疎外感に打ちひしがれる人を大量に生むことになるだろう。

私はこうした状況に対して、**フィルターバブルの境界を個々人にしてしまう**ことで、フリクションをなくす手法があり得ると考えている。今、ＳＮＳがやっていることをもっと極端にするのである。同質の人間すらバブルの中に入れない。話し相手や遊び相手が欲しくなったら、ＡＩを立てる。

実際、ＲＰＧの旅の仲間としてスクウェア・エニックスが仲間ＡＩと呼ぶものは、いい線をいっている。バンダイナムコが半分ネタとして実験した、自分以外すべてＡＩのＳＮＳ「アンダーワールド（Under World）」は心地よかった。なんの逡巡もなく自分を甘やかしてくれるイエスマンしかいないのだ。これで、人はフリクションなく人生を生きていくことができる。そちらを目指すメタバースは必ず出てくる。

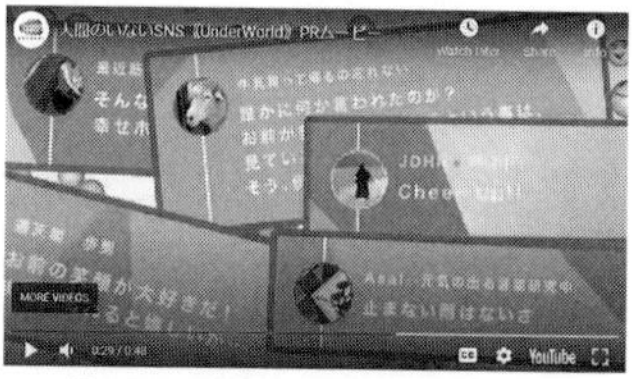

アンダーワールド
https://al.sao-game.jp/ai-underworld/

もちろん、そんなシステムは嫌悪する人が大多数だろう。だから、eスポーツをやるにしても、もう一つの世界でアクティビティに参加するにしても、背後に人が存在して、その人々とリアルではないけれど新しい形のコミュニティを作っていくのだろう。

ただ、その場合は、先ほど述べた平等のあり方、公平のあり方が極めて重要な課題となる。もう一つの世界でも、いやもう一つの世界だからこそ、人は平等にこだわる。

ソーシャルゲームでガチャの出現確率が、わずか100分の1%でも告知と違えば、消費者庁に電話突撃が起こり、その世界からの退出が始まるのは偶然や気まぐれではない。不平等や不公平感はリアルだけで十分なのだ。メタバースにこれらを求め、しかしフィルターバブルの中に一人しかいない世界は拒絶するならば、私たちはメタバースでの新たな平等のあり方を模索しなければならないだろう。

第3章　なぜ今メタバースなのか？

「アップルはものづくりの企業だ。ハードウェア、ソフトウェア、サービスを作っており、この3つが美しく、シームレスに機能するようにしている」

——ティム・クック（アップル）

ファンタジーの器としてのコンピュータ

メタバースが急速に勃興しつつある背景は、まず何よりも描画技術の向上にある。人間の欲求は太古からそんなに変わっていない。安全や安心を願い、居場所の確保と賞賛を望み、世界に爪痕を残したいと企てる。

リアルでの人生はそうそう思惑通りには運ばないから、少しでも自分の意思を通すために自分を磨き、組織を作り、社会に働きかける。いっぽうで、それらのしんどい行動から逃れて、自分に都合のいい世界をファンタジーとして消費したい欲望も生まれる。生産的ではないかもしれないが、ストレスのかかる状況下で心身のバランスを保つためには重要な心の働きだ。

ファンタジーを提供する媒体として、大昔から伝承や小説、絵画、音楽、演劇が存在した。むしろ、新しい媒体候補が現れる都度、その器にファンタジーを載せられないかがいつも試されてきた。

コンピュータが登場したときも、当然のようにファンタジーを提供する媒体にされた。

古典的な芸術は素晴らしいクオリティのファンタジーを提供してくれるが、利用者はあくまで観客であって、双方向性に乏しい。自分がその世界に関わることには限界がある。コンピュータが提供する娯楽は、利用者が積極的に関わっていける点が既存のアートに対して差別化されており、期待が持たれていた。

ただし、この時代に得られた体験は、お世辞にも豊かなものとは言えなかった。

たとえば、謎解きものの初期の作品として著名な「ミステリーハウス」というゲーム。私は推理小説マニアであったので、即日購入した。殺される側でも、殺す側でも、右往左往するその他大勢でもいいから推理小説の世界に入り込み、その空気を堪能したいと考えていた利用者には理想的なコンテンツではないか。

ミステリーハウス
https://akiba-pc.watch.impress.co.jp/docs/column/retrosoft/1086142.html

その期待はゲームを起動した瞬間から裏切られる。たかだか場面が変わるだけのことで、その都度カセットテープから数分の時をかけてデータを読み出し、インタプリタ言語で綴られたプログラムはゆっくりと、人の目にも明らかな速度で線画を一

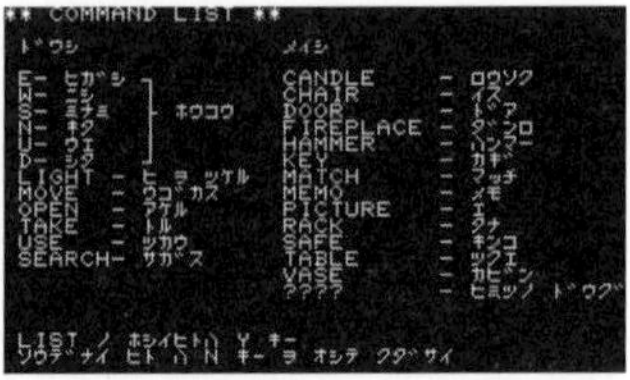

ミステリーハウスのコマンドリスト

本一本描いていく。一枚の絵が描き上がるまでに数十秒から数分を要するときもある。

加えて、「その世界への参加」もちっともスムーズではなかった。スマートフォンのタッチパネルの、まるで情報を指で直接操作しているような爽快感とは無縁である。キーボードの何を押せば、この世界で何をしたことになるのか、コマンドリストをメモっておかなければまったく把握できない。

ではこうした試みは失敗だったかと問われれば、私自身は大成功であったと答える。マイクロソフトのウィンドウズが、投入当初は「動かないぞ」「重たすぎる」と文句を言われつつも確実に普及していくように、高い目標やビジョンを示せば、それに共鳴した人々が必ず高度化や普及の手助けをしてくれる。最初に示すビジョンに夢がないと、こうした力が働かないのである。だから、新規システムの実装は、仮に最初はバグだらけでも、「これが完全なものになった暁には、世界が変わるぞ」と思わせるものでなくてはならない。

ミステリーハウスをはじめとする初期のゲーム作品群は、十分にその役目を果たしたと思う。仮想的に作られた世界に触れ、そこに関わることの楽しさを、少なくともその可能性を形にして見せたのである。それに魅せられた人々は、大挙して利用者となり、その中には後にこの分野に強い影響力と革新をもたらすクリエイターになる者も含まれていた。

80年代から90年代を経て21世紀に至るゲーム表現の長足の進歩は、プレイ画面を一瞥《いちべつ》しただけでも見て取ることができる。ブラックオニキスではワイヤーフレームを色で塗りつぶすようになり、ザナドゥは２Ｄではあるものの描画の精密性が上がり、レイヤ（重ね合わせ表現）にも手が伸びている。ＦＦ７では予め用意された絵ではなく、その場で演算するリアルタイムアクションが３Ｄで行えるまでに進歩し、エースコンバット7などになるとそれを実写と区別するのに一苦労する。

これらの革新は、単体としてはプアだったかもしれないミステリーハウスやBATTLE ZONE（ワイヤーフレームで３Ｄを表現した、初期の戦車戦ゲーム）の存在なしには、促されることはなかっただろう。そしてここで培われた技術が、いまメタバースに使われている。

ゲームとメタバースの親和性はとても高い。もちろん、ゲームはメタバースの一部を切り取ったサブセットでしかないが、これまでの情報システムは包括的なメタバースを取り扱えるような演算速度もデータセットも持っていなかった。そのため、メタバースを形作る重要

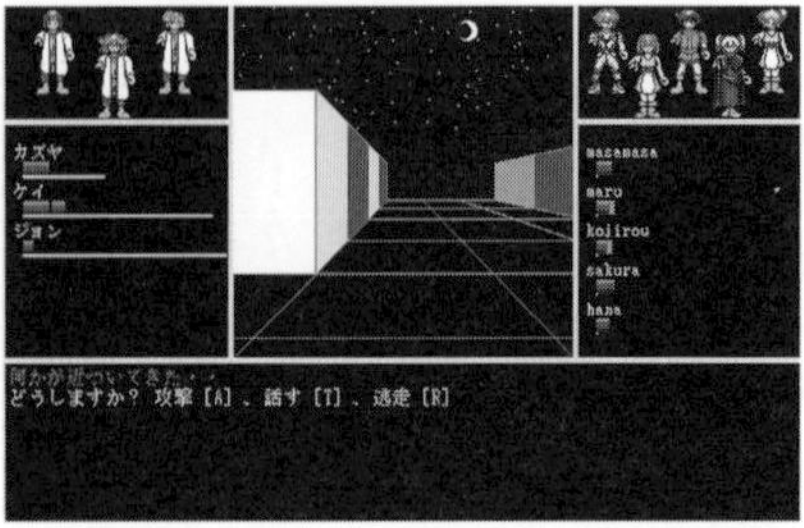

ザ・ブラックオニキス
https://plaza.rakuten.co.jp/sakura5260/diary/201102030000/

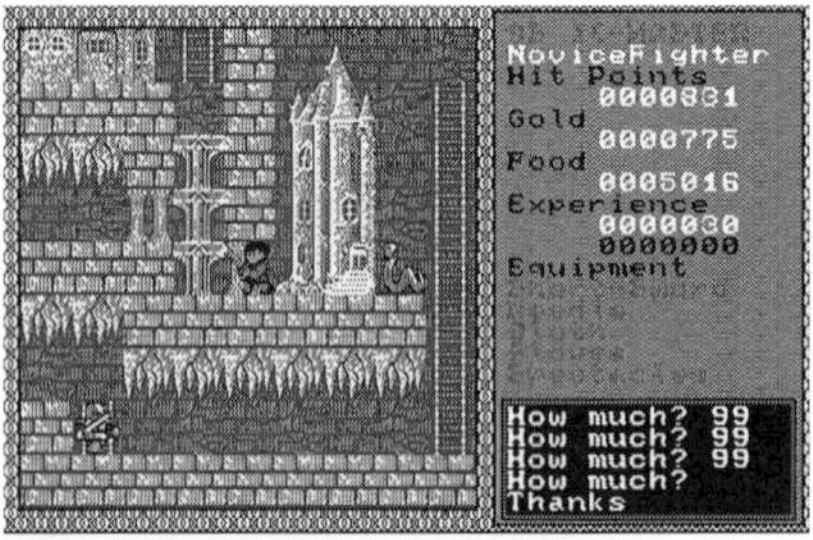

ザナドゥ
https://www.4gamer.net/games/315/G031560/20151014002/

旧ファイナルファンタジー7（1990年代）
http://iphoneac-blog.com/archives/8939607.html

な進化はゲームとともにあったと言っても過言ではない。

描画機能――ＧＰＵ

その中でも視覚効果はとてもわかりやすいため、巨大なリソースが開発に注ぎ込まれた。ＣＰＵやＧＰＵのメーカーにとっても悪い話ではなかったのである。解像度やフレームレート（１秒間に何回画像を更新するか。頻繁に描画するほど、動画をなめらかに表現できる。従来のテレビ放送で約30回、４Ｋ放送で約60回。ゲーム仕様のＰＣでは３００回という製品もある）が上がれば、ヘビーゲーマーは必ず買ってくれるし、解像度の高い画面はビジネス用途にも大きな恩恵をもたらすので、投じたリソースが無駄になることはなかった。

エースコンバット７

この時期、ＣＰＵから描画機能を切り出して専用パーツ化したＧＰＵが一般に普及した（当初はグラフィックアクセラレータと呼ばれていた）。ＣＰＵはどんな命令にも応えるために内部構造が複雑になっていて、その複雑さは速度性能を殺していた。そこから描画機能だけを抽出したＧＰＵは、最初から単用途であることが確定していたので極めてシンプルな構造にすることができた。それが速さに直結したのである。

今では、高速化したＧＰＵを描画以外の仕事に使って、業務を効率化することがふつうに行われている（ＧＰＧＰＵ：ジェネラルパーパスＧＰＵ。ＧＰＵを描画以外の一般的な用途に使うこと）。用途の逆流である。膨大な計算量を必要とするディープラーニングや、ブロックチェーンのマイニングで欠かせないものとなっている。これらもシンプルな行列計算を多用するので、ＧＰＵと相性がいいのだ。

ＧＰＵ二大メーカーの一つであるＮＶＩＤＩＡ（エヌビディア）の幹部は自身がゲーマーであり、快適にゲームがしたいから開発に従事してきたと述べている。ゲーマーの欲望がなければ、ＡＩの進歩はもっとゆっくりしたものになっていたかもしれない。

モニタの解像度

モニタの性能を示す指標は様々だが、解像度は留まることなく精密になり続けた。

左の図のように、モニタは映画館に追従するように横長化する傾向があるので、途中で主要なアスペクト比率が４：３から16：９ないし16：10へ変更になった。ＶＧＡはＳＤ(standard definition) とも呼ばれる、昔のアナログテレビの画質である。これに対して、

320×240	QVGA	(4：3)
640×480	VGA	(4：3)
800×600	SVGA	(4：3)
1024×768	XGA	(4：3)
1280×720	HD	(16：9)
1280×800	WXGA	(16：10)
1366×768	FWXGA	(16：9)
1440×900	WXGA+	(16：10)
1600×900	WXGA++	(16：10)
1920×1080	Full HD	(16：9)
2560×1440	WQHD	(16：9)
3840×2160	4K	(16：9)
7680×4320	8K	(16：9)
15360×8640	16K	(16：9)

※（　）内はアスペクト比

モニタ解像度の進化

１２８０×７２０以上はＨＤ（high definition）と呼ばれ、１９２０×１０８０でフルＨＤとなる。この辺はテレビでおなじみだろう。

テレビの受像機は今４Ｋへ切り替わりつつある途上で、コンシューマゲーム機も２０２０年のＰＳ５から本格的に４Ｋに対応し始めた。ＰＣゲームでは４Ｋ対応はすでに一般化しており、ＶＲを用いたものだと８Ｋ、16Ｋが視野に入っている。

反応速度

反応速度も向上している。日本のテレビ放送は29・97ｆｐｓ（フレームレート。１秒間の動画が何枚の画像で構成されているかを示す単位）である。テレビや映画の原理はパラパラ漫画と同じだが、１秒間に約30枚の画像をパラパラやっているわけである。

これがＰＣゲームの世界だと、60ｆｐｓや１２０ｆｐｓ、１４４ｆｐｓ、２４０ｆｐｓ、３００ｆｐｓが使われている。１秒間に３００枚も画像を切り替えたところで、人の目にそれが映るのだろうかと不思議に思うが、ミリ秒を争うアクションゲームの利用者はこれを必須の装備にしている。３００ｆｐｓであれば1秒間に３００回反応するチャンスがあるところを、30ｆｐｓでは30回しか与えられず速度競争で負けるからである。

ただ、これだけの画像処理を行うのはコンピュータにとっても負担が重く、たとえばＰＳ５では４Ｋ画質の30ｆｐｓか、フルＨＤ画質の60ｆｐｓを選ばせるゲームが多くなるだろう。

明暗と色合い

明暗や色合いも、「仮想現実」を感じさせる重要な要素である。従来のモニタ（ＳＤＲ：Standard Dynamic Range）は明るさの表現を8ビット（２５６段階）で行ってきた。このくらいの割り方だと、真っ暗と直射日光の差を十分に表現し切れない。結果として、薄暗い場所は全部黒く映ってしまうようなことが起こる。

これをＨＤＲ（High Dynamic Range）では、10ビット（１０２４段階）以上に拡張する。現実の風景を自分の目で見たように、とまではいかないが、かなりそれに近い明暗を表現することが可能になる。

モニタ上に描ける色も、かなり広がる。従来のモニタはＢＴ．７０９といって、実際に人間が識別できる色の４分の３ほどを再現するものだったが、新しいＢＴ．２０２０規格ではほぼ１００％の色を表示することができる。

ＨＤＲやＢＴ．２０２０は徐々に普及しつつある段階だ。家庭用テレビでも（再生したい映像が、ＨＤＲやＢＴ．２０２０に対応しているかどうかは別として）、比較的高価なものであれば搭載されているだろう。

こうした技術によって構築された「世界」は、より情報の密度を高めている。ゲームのような世界と、リアルを隔てていた主因はこの情報密度の差に求めることができる。したがって、これらの高精細技術を用いてＶＲヘッドセットに３６０度ビューを映じれば、本当にその世界に没入したかのような感覚が得られる。

インタフェース

「もう一つの世界」に関わるためにはインタフェースも重要だが、こちらも進歩した。草創期にはキーボードを使うしか手段がなかったが、マウスが登場し、パソコンでも汎用的なゲームパッドが使えるようになった。タッチパネルやモーションコントローラは、仮想現実内のモノ（オブジェクト）に触れている実感を利用者に与えることに成功した。

リアルを置換できるかと問われれば、まだまだだ。ＶＲグローブを使って、メタバース内のモノ一つつかむにしても、リアルとは異なるスキルが必要であり、そこには習熟を要する。ＨＭＤも長く世界を楽しむ障害になるほどには重い。

ただ、リアルに近づいていることは確かだし、仮にリアルと１００％の親和性がなくてもよいのだ。私たちはプアなインタフェースしか持たない小説ですら、そこに没入して仮想現実を楽しんできたのだ。

強いインタラクティブ性を持つメタバースは、リアルとは異なる、しかし長い時間を投じて楽しむに値する世界として人々に認知され、その可処分時間を奪っていくだろう。

テックジャイアントしか勝負できない世界

しかし、多くのゲームメーカーやソフトハウス、ＳＮＳプラットフォームがメタバースに参入できるとは思わない。

リアルと同じ触感を持った仮想現実を構築するには、データサイエンスの助けも重要である。いわゆるビッグデータを収集し、どうすれば利用者が喜ぶのかを抽出する。そのとき、利用者が喜ぶキーファクタを見つけられるかどうかは、残酷なくらいデータのサイズに依存する。

アクティブユーザが１０００人ほどしかいないニッチなゲームメーカーに、勝ち目はない。ＩＴ、とりわけインターネットでは勝者一人勝ちが起こり、巨大な先行者利得が独占される。今のところメタバースには明確な勝ち組はおらず、だからこそ覇権を求めて各社がしのぎを削っているのだが、メタバースに限らずＩＴのサービスは今後ますます利用者に快適さを感じさせるか否かが重要になる。

ところが、利用者が何を快適と考えるかなど、よくわからないのだ。行動経済学などの理屈はあっても、利用者が本当にその通りに反応するかなど、試してみないとわからない。

それを試し、実際のサービスに取り込むことができるメーカーはごく少数だ。

「利用者は隣の街まで60秒で行けるのと、１２０秒かかるのとではどちらが好きだろう。よし試してみよう」と思いついたとして、利用者が1億人いるサービスならすぐに試すことができる。でも、それが１０００人だと得られた知見は誤差の範囲に留まるだろう。

「ボタンを押してから、仮想現実内で実際にそれが起こるまでに０・２秒以上かかるとユーザが逃げるぞ。よし、クラウド側のマシンパワーを増設しよう」といって、どれだけの企業がその投資に耐えうるだろう。

一つ一つは小さな違いである。しかし、その一つ一つを経るごとに、あるサービスは利用者を増やし、あるサービスは減らす。増やしたサービスは好循環を獲得し、減らしたサービスは負のスパイラルに陥る。それはすぐに逆転不可能な格差となる。

これは高い蓋然性を持って予測することができる。私たちはウェブでもSNSでもそれを見てきたからだ。特にメタバースの場合は、すでに少なくない数のテックジャイアントが研究開発に乗り出しているため、これから出てくるスタートアップがそれをひっくり返すことはとても厳しい。

かつてインターネットがフラットな世界だと言われたことがあった。ひょっとしたら、今でもそう考えている人がいるかもしれない。しかし、今のインターネットは資金と設備を擁した者が勝つ重厚長大産業だ。

グーグルがフリーライド（他人の設備を利用して、タダで自分たちの商売をしている）と言われたのは過去のことだ。彼らは小国の国家予算を上回る莫大な投資をして、自分たちのネットワークを作っている。それが必要だったからだ。先に述べたようにインターネットの利用者は気まぐれだ。0・1秒応答時間が遅れただけで、別のサイトを見に行ってしまう。グーグルは巨大なデータセンタと自前のネットワークインフラを投じることで、顧客の流出を抑えた。

インターネットは全員参加型の互恵ネットワークではすでになく、大資本を投じた者が基幹部分をおさえている。インターネットによく似た、しかしグーグルの中やアマゾンの中で閉じた別のネットワークが稼働していると考えてもよい。その恩恵に浴さない小規模ウェブサイトが、速度や利便性でグーグルに勝つことはなく、差は開く一方である。

成功したユーチューバーなどに接すると、過去に語られたように、インターネットが個人の力を増幅させたように見えるかもしれない。しかし、あれはグーグルが作った枠組みの中で、よく踊れた者が利益を手にしているだけである。ユーチューブというサービスと、それを載せるインフラ（どちらもグーグルのものだ）がなければ成立しない職業なのだ。だから、グーグルがユーチューブの規約を少しいじっただけで、あっという間にページビューを失い、収益の道を絶たれるのである。

インターネットは古くからの政治権力から個人を解放する力にはなったが、より強固なテックジャイアントの支配構造を生んでいる。メタバースも、それを強化する方向へ作用するだろう。

なぜ今メタバースなのか？②　人間の変化

リアルでなくても構わない人が増えた

自分の生活圏がリアルでなくても構わない人が増えた、いやむしろ、リアルでないほうがいい人が増えたと言うべきか。

リアルな世の中が、生きにくくなっていることは、ここまでにも述べてきた。基本的な路線は、個人の自由の拡大である。それ自体はよいことだと思うのである。私も不自由よりは自由のほうがよほどよい。

すごく個人的な思い出だが、私は児童、生徒時代に校則で五分刈りにされたのがとてもいやだった。たかが髪形程度のことが、大きな物語的な社会では自分の裁量で決められなかった。

それが少しずつ、自由になってきたのである。普通科だけでなくフリースクールへ、正社員だけでなくフリーターへ、結婚は必須ではなくお一人様老後へ進む道も開かれた。自由には責任が伴う。フリーターへ進んだ結果、生活が不安定になったとき、就学や就業を拒んで引きこもりになったとき、その責任は自分がかぶる。

フリーターで食い詰めたことは自分の責任ではなく、フリーターに資源が再配分されない社会が悪い。引きこもりを選んだのではなく、選ばされたのだ。あるいは、引きこもりでも食っていけるような社会構造があるべきなのだ、と反論することはできるだろう。しかし、実態として自由を享受した結果起こりうるすべてのことにセーフティネットを張り巡らせることは現実的でなく、自分で責任を負う羽目になることがほとんどだ。

そういうのはしんどいから、自由じゃなくてもいいのに、と考える人も多いが、それは社会を後退させる因子になるので、なかなか許してもらえない。人間は自由であるべきなのだ、多様性を認めるべきなのだ、という訴えはそれが正論であるだけに強い圧力で個人の行動を制約する。

不自由なくらいがいいのに……と考える多様性や、もうちょっとみんなの考えがまとまっていたらいいのに……と思う多様性は、そこでは認めてもらえない。

すると、リアルな社会は自由を謳歌《おうか》できる少数の強い人には居心地よく、そうでない多くの人には怖くて息苦しいものになる。ひょっとしたら、自由という博打は失敗したのかもしれない。

高騰するコミュニケーションのコストとリスク

これは人間の根源的な欲求である、コミュニケーションと承認にも大きな影を落とす。人はコミュニケーションが大好きだ。人の長い歩みの中で何か新しい技術が現れる度に、それをコミュニケーションに使えないか試行してきたほどである。コンピュータなどという、単純計算を大量にこなすための機械がこれほどコミュニケーションに使われるなど、バベッジもノイマンも思わなかっただろう。

ところが、個人の自由拡大と権利強化は、コミュニケーションを難しくする。多様化した価値観の中では、自分はよかれと思って発言したことが相手の逆鱗《げきりん》に触れるケースが激増する。それを調停してくれる権力も不調である。「どっちもどっちだろ」などと、その場を手打ちに導いてくれる青年団の頭だの、村長だのはもういない。どちらも前時代的で抑圧的な権力の象徴である。

であれば、コミュニケーションで生じたトラブルは当事者同士で解決せねばならず、しかしまったく価値観の異なる者同士の直接調停などうまく転がるはずもなく、泥沼化した罵り合いが延々と続く消耗戦になる。

このとき、謝って調停から降りる選択肢は取りづらいのだ。

大きな物語のように皆が同じように依拠している価値観が存在するなら、その価値観に照らし合わせて正しかった、間違っていたと自らの行動を振り返ることができる。間違っていれば、謝ることも正すことも難しくない。でも、「みんな違ってみんないい」社会は、正解が多数ある社会だ。どちらにも理はあるのである。しかも、自分なりの正解を見つけて「好きなように」生きていくことが推奨される世の中なので、間違いの修正は自分の生き方の否定へと直結する。

社会のどこかに正解があって、それに対する回答が間違っていたのではなく、社会のどこにも正解はなく、自分なりの正解を作っていい、作らねばならないはずなのに、その正解が否定されるのである。この差は大きい。だから、些細なことでも、争いから降りることができない。間違いの修正ではなく、自分の生き方の再構築をしなければならないからだ。そんなしんどいことを、そうそうやりたくはない。

多様性と包摂の精神に則《のっと》ってお互いの異なる生き方を認めればいいのだ、という物言いは、現実のトラブルに直面した当事者にとってうつろな綺麗事にしか聞こえないだろう。調停者もない中で、自分が先に寛容さを示せば、相手は容赦なく利得を奪っていく。それはこの社会において負けを意味する。コミュニケーションのコストとリスクはとても高いのである。

承認欲求とSNS

承認に対する欲求もそうだ。今どき、小学生でも承認欲求という言葉を使いこなす。普遍的な、とても強い欲求である。だが、価値観が多様化した社会で、これほど得にくいものもない。

みんなが同じ価値観を持っている社会であれば、たとえば「お金持ちが偉い」社会であればお金を稼げばいいし、少なくともお金を稼ぐ努力をしていれば褒めてもらえる。絶対的な、1位の金持ちになれなくても、ある水準を超えるように頑張ることもできる。

でも、奉仕活動をする人が偉い、自分の意見を言える人が偉い、シンプルな生活をする人が偉い社会では、お金を稼ぐ活動に対する評価はよくて無関心、悪くすれば反発を買うだろう。構造的に、承認欲求はとても満たされにくい。

「人の承認なんて得なくていい。自由な社会なんだから。自分さえ納得していればいい」これは正論である。しかし、誰も幸せにしない類《たぐい》の正論だろう。誰にも評価されずに生きていけるほど強い人は少ない。誰かに褒めて欲しいが、そのために自分の活動をアピールすれば、褒められるよりは叩かれる機会のほうが多いのが現状である。

そうした、フリクションばかりが大きい社会に目をつけたのがＳＮＳである。ＳＮＳは友だちとつながるサービスではない。合わない人を切り捨てるサービスである。その割には、ツイッターにはそういう機能が乏しいと思われるかもしれないが、私はツイッターはＳＮＳの定義を外れるサービスだと考える。ツイッター社自身もそう述べている。

大きな母集団の中から、軋轢《あつれき》を生まない人だけを抽出して、快適な閉じた空間を演出することにこそ、ＳＮＳの価値がある。だから、小さなＳＮＳには、あまり意味がない。誰かにとって快適なメンバーを構成するのが難しいからだ。

SNSの限界と「もう一つの世界」

ＳＮＳは居心地がいい。しかし、現時点ではその心地よさには限界がある。あくまでコミュニケーションのためのサービスに留まっているので、どんなに居心地がよくても、仕事をするとき、食事をするとき、排泄をするときには、そのサービスを離れなければならない。

人間はまだリアルに軸足をおいた生活を営んでおり、そこを疎《おろそ》かにしすぎると学業や仕事が立ちゆかなくなる。スマホなどのスクリーンを隔てて提供されるサービスは、「ここはリアルではない」と自覚させるほどにはリアルと切り離されている。

でも、高度な技術でリアルと同等の質量を持った世界が展開され、仕事も学校も恋愛もそこで完結するサービスが提供されると話が変わってくる。少なくとも、リアルで疲弊し、忌避感を持った人々は、そこで多くの時間を過ごしてもよいと考えるだろう。そして、その実数は年々大きくなっている。

大きな物語が潰えた今、誰もが自分の物語を欲し、また持つことを求められてもいる。なのにリアルでは自分の物語を構築し、自信を持って快適に生きることがますます難しくなっているのである。仮想現実がそれに応えてくれるならば、すべての人とは言わないが、それなりの割合の人々が「もう一つの世界」に移住したいと願うことは不思議ではない。

リモートのほうが有効なもの

仕事や学業が仮想現実で修められるものかと思う方もいるだろう。しかし、２０２０年のコロナ禍は、リモートでもこれらがそれなりに機能することを実証した。もちろん、人が実際に集まり、対面することで有効に機能する活動は多い。しかし、そうでないもの、中にはリモートのほうがずっと有益なものもあることが、同時にあぶり出された。

私は正直なところ、コロナ禍でのＺｏｏｍやグーグルミートを使ったリモート授業があまり面白くなかった。通常のディスプレイを使ってやっているのに、無理矢理リアルを比喩化した環境になっているのが原因だと考えている。

どうせリモートで授業をするのであれば、授業自体を仮想現実で構成してしまえばよいのである。低廉化されたコンシューマ向けＶＲ技術でも、みんなで車座になって座ったり、ホワイトボードに書き込んだり、ジェスチャーを交えてディスカッションしたりすることができる。

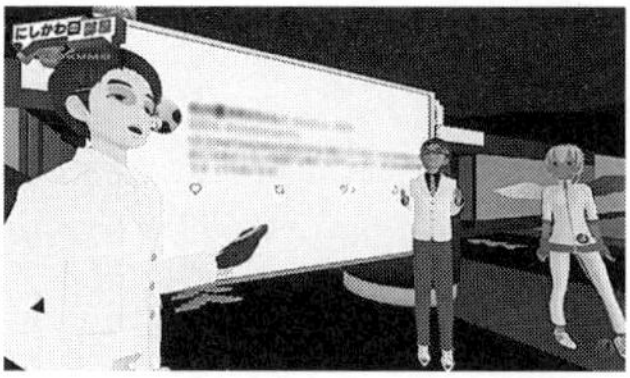

VR 空間でのプレゼン
https://intofree.world/ja/2020/10/07/virtualcast190slides/

感染症のリスクなどは今後も社会にあり続けるだろう。また、リモートの教育に効果があることが示された今、体感的に拡大し続ける所得格差や多様な生き方に対応するための教育の処方箋として、リモート授業は有力な選択肢になっていくだろう。リモートでいいならば、仮想現実を使って授業をしたい、授業を受けたいという動きは、必ず出てくる。それはまだ実現していないだけで、約束された未来だと考えていい。

私も、リアルか、リモートのどちらでも授業形態を選んでよく、かつ仮想現実内でのリモート授業を行ってよければ、まず間違いなくそれを選ぶ。というのは、現代の教育現場では顧客満足度が重要な指標だからだ。

それ自体はよいことだと思う。従来の類型化した大学教授像の一部に見られるような、教員の独り言のような授業はいいものではない。

しかし、授業評価アンケートなどが重要度を増してくると、その評価に応じて報酬にも差をつけるといった動きも出てくる。報酬はどうせなら多いほうがいいので、評価がよくなるように策を巡らす。

授業評価アンケートで高評価への寄与が大きい変数はクラスサイズと教員の年齢だ。クラスサイズはともかくとして、仮想現実であれば年齢はごまかしようがある。アバターの姿態を若くしておけばいい。私のような老人でも、ちょっとは評価が上がるかもしれない。これは授業だけでなく、高齢化せざるを得ない労働市場にも転用できるだろう。

仕事内容もそうだ。教育と同様に、ディスカッションやプレゼンテーションの多くは、リモート技術で置換可能である。それを望む者ばかりではないが、望む者は存在し、その数は確実に増えている。普及が拡大しないのは、単にリモート技術が発展途上で、まだリアルに利便性が感じられるからだ。

今後の技術の高度化により、この懸隔は埋められていくだろう。人々が仮想現実内で過ごす時間を拡大させるならば、リアルでの会社の業務を仮想現実に再現するだけでなく、仮想現実内で完結する仕事や仮想現実内でなければできない仕事も増えていく。

セカンドライフで行われた、仮想現実内での建築やインテリアデザイン、アバターのデザインは言うに及ばず、仮想現実内で人を快適にするサービスが対価を得られる業務として確立するだろう。その萌芽がＮＦＴだと考えてもいい。

仮想現実でどうなる？　恋人との触れ合い

では、恋人との触れ合いはどうなのだ、と問う向きもあるだろう。それを仮想現実で再現することは難しいだろうと。しかし私はこれも仮想現実内で完結させられると思う。それは、ＶＲヘッドセットやＶＲグローブの精度が上がって、恋人の息づかいや感触をリアル同様に感じられるようになるとかそういう話ではなく、リアルの恋人を忌避する方向である。

相手が異性であれ同性であれ、恋愛関係こそは互いの価値観のぶつかり合いだろう。自分が相手に対して折れることが、自分だけの問題ではなく、ジェンダーの敗北や趣味嗜好の敗北、生き方の敗北とリンクして語られる社会では、恋人同士の間でも摩擦は大きくなる。

恋愛関係を快適に感じられなかったり、リスクが大きいものと捉える傾向は強くなっている。未婚率の高止まりや、恋愛経験の長期的な下落傾向は、就学期間の長期化や長時間労働、体感所得の低下だけが原因ではなく、リアルな恋愛の魅力低下も加えて考えなければならない。

恋愛のいいとこ取り

だからといって、人間の恋愛に対する欲求がなくなるわけではない。だから、自分にとって都合のよい、恋愛のいいとこ取りを求める。コミュニケーションのいいとこ取りを求めたＳＮＳと同じである。恋愛の仮想現実化である。

恋愛のいいとこ取りを求めた仮想現実化は、昔からあった。売買春がそうであり、素人が参入しやすいライトな用語、概念としてのホストクラブや援助交際、パパ活、港区おじさんなどがどの時代にも雨後の筍のように現れる。

恋愛においてもいいとこ取りなどという都合のいい話はない。しかし、それをお金で買うわけである。いいとこ取りをしたい者は金品や便宜を支払い、いいとこ取りされる者は対価を最大化するように振る舞う。

太古から需要も供給もあった価値交換の一形態だが、この市場に参入する者はあくまで社会の中の一部に限られていた。それが、もっと大きな範囲へ拡大しようとしている。現在という時間を消費する利用者が求めているのは、自分が傷つかない都合のいい恋愛だ。もう少し優しい言い方をするならば、相手も傷つけない関係を望んでいる。どちらにしろ、身も蓋もない話ではある。

だが、やむを得ない一面もある。

進むリスク回避傾向

学業や仕事、生き方についての考え方と同じだ。自由が実現した社会で、個人の決定にはとても価値がある、自分の頭でものを考え、決め、実行しなければならないと促す圧はとても強い。

恋愛においても、そもそも恋愛をするかしないか、するとして対象は同性か異性か、あるいは性別を超越したものか。近年、不倫や浮気はとても強い社会的制裁を受けるが、いっぽうでポリアモリー（複数の人と恋愛関係を結ぶこと）ももてはやされている。モノや概念と結婚してもいいらしい。

このような状況で、何かを決断することはとても難しい。そして、仮に自分のポリシーを決め、恋愛を実行したとして、その相手も無数の選択肢の中から選んだポリシーを自己にインストールしているだろう。この２つがぴったりかみ合うことは、ひな祭りの貝合わせよりも困難だ。

自分の意見を押し通したら、相手の人格の否定やハラスメントに直結するだろう。では、相手の言うことをすべて飲めばいいかと言えば、自由を謳歌すべき社会の中で「何も考えていない」「主張すべき自己がない」という烙印《らくいん》を押され、敗北者と評価されることになるだろう。ネットワークによって透明度が上がり、可視化された世界ではこうした振る舞いがよく見えるし、見られている。

本来とてもプライベートな話題であった恋愛が、消費し、消費されるものになっている。当然、その人を評価する変数にもなる。もちろんＤＶやモラルハラスメントがあってはならないので、抑圧されてきたそれらが可視化されるのはよいことだと思う。しかし、単なる価値観の不一致が正義や評価とリンクして語られ始めると、そこからぞろぞろと降りる人が出たとして不思議ではない。

実際、学生のリスク回避傾向はここでも強い。狭い範囲の体験談でしかないので、ここは割り引いて読んでいただければと思うが、生まれてからずっと体感的な不況にさらされてきた彼らは、「失敗すると後がない」感を持っている。減り続ける体感所得の中で、教育に資金を投じてくれた両親を裏切れないとも思っている。

すると、就職先の選択が保守的になり、自分がやりたいことよりも、長く続けられそうであること、ホワイト企業であることなどを重視して選択することになる。さらにその選択に裏付けや保証が欲しくて、最終的な就職の決定を教員に求めたり、ＡＩサービスを利用する傾向が増えている（参照：拙著『思考からの逃走』日本経済新聞出版、２０２１）。

恋愛も同じである。就職と結婚は若年層における大きな選択の二大巨頭で、ここで失敗するとダメージが大きい。モラルハラスメントでも起こせば、親にも迷惑がかかる。そこで、マッチングサービスを利用したり、市場から降りたりすることになる。

極めて細分化された恋愛への要求を、自分の半径5メートルの範囲で満たしたり見つけたりすることは困難である。しかし、ＳＮＳのフィルターバブルのように、母集団が大きければマッチング比率の高い相手が見つかるかもしれない。ＳＮＳが友だちを市場化したように、恋愛も市場化してフィルターバブルの中に囲い込むのだ。少なくとも、何も考えずに付き合い始めた相手よりは、フリクションや訴訟リスクを減らすことができるだろう。

アバターとの触れ合い

それでも心配なら、仮想現実化してしまえばいい。自分と恋人との間にアバターをかます。ワンクッション入れたコミュニケーションを確立するのである。

アバターが相手なら傷つかない。アバターが相手なら傷つけても罪が軽いかもしれない。いっそ、アバターの中身がＡＩならなおよい。ＡＩなら、どんなにエッジの効いた恋愛観も、ラディカルな主張も、フェティッシュな性的嗜好も飲み込んでくれるだろう。「決して自分を否定しない人生の伴侶」、ポストモダン化した生活で、これほど求められている存在もない。それこそ、星新一の『妖精配給会社』のように他のすべてが霞み、いらなくなってしまうかもしれない。

ＡＩが話し相手であったり、人生の伴侶であることに違和感を持つだろうか？　しかし、すでにＳｉｒｉを話し相手にしている人はいる。ゲームやアニメのキャラクタを配偶者と決める者も多い。

２０２１年の春アニメ「Ｖｉｖｙ」では、ＡＩとの結婚、ＡＩの人権、人類のＡＩへの依存が主題として取り上げられた。メジャーなアニメの主題として採用される程度には、この考え方は熟成しているのだ。

恋人との触れ合いは恋愛を構成する抜きがたい要素だ、と断じる主張は今後説得力を失っていくだろう。そもそも多様化した価値観下で、触れ合いや性的な接触は必須の要素ではなく、むしろそれを除外した恋愛観を持つ者も増えた、あるいは潜在していたものが表面化した。

オリエント工業のラブドール
https://www.orient-doll.com/berry/

そして、アバターは不可触であるとも言い切れなくなった。触感を感じさせるＶＲ技術は進歩しているし、愛玩人形やラブドールの売上は欧米でもアジアでも右肩上がりだ。それらを情報システムと結びつけて双方向性を持たせる技術も向上し続けている。

人はイライザやａｉｂｏ、アイポッド（iPod）にすら意思や感情を読み取ってしまう（イライザ効果）生きものである。感情ＡＩを組み込んだラブドールに恋愛感情を持っても、驚くには値しない。

アダルトソフトメーカーのイリュージョンが２０１９年にリリースし

AI ＊少女
http://aisteam.illusion.jp/index_jp.php

た「ＡＩ＊少女」は、まさにそこを狙ったコンテンツである。アダルト要素が加味されているがジャンルとしてはセカンドライフのように「そこで暮らす」種類のものだ。アダルトメーカーらしく、「暮らす」の中の「異性との関係性」にフォーカスしたものと言える。メーカーの言い方では、「ライフシミュレーションコンテンツ」だ。

プラトニックな会話で満足する利用者もいるだろうし、性行為に興じる利用者もいるだろう。その結果として、ＡＩ（とも呼べないような水準だが）が操る３Ｄ表現された少女にガチ恋をする者が現れるのは当然の帰結である。キャラクタの生誕祭を執り行った者も、結婚式を挙げた者もいたことだろう。

これらが実現するのは、フリクションとリスクを最小化した社会である。そこではもはや、フィルターバブルの中には一人しか入れない。居心地よい空間を作る膜の中にいるのは、自分だけである。

データサイエンスを駆使したＳＮＳがあれだけ選別に選別を重ねても、確執と衝突は起こるのである。現代は、衝突が起こりがちなのに、衝突を容認しない社会である。ならば抜本的な解決策は一つだけだ。フィルターバブルの中で一人だけで生きていく。

リアルの男性や女性が恋愛市場で敗北する日

今まではそれが技術的に難しかった。ＳＮＳで快適に過ごしても、どこかで路銀を稼ぎにリアルへ出て行かねばならない。メタバースはそれを仮想現実の中で可能にする。

一人が寂しければ、ＡＩが形作る仮想人格や愛玩人形が無聊を慰めてくれる。

あまりにも侘《わび》しい人生に感じられるだろうか？　しかし、それすら過去の極めて硬直した価値観であるかもしれない。

サブカルチャーは炭鉱のカナリアとして利用できると述べた。この分野でオタクはすでに先行事例を大量生産している。ゲームやアニメのキャラクタを恋人や配偶者として扱い、ガチャに数千万を投じ、抱き枕や等身大人形を連れて旅行に出かけ、誕生日を祝ってきた。

リアルのチャペルで、二次元キャラクタとの結婚式を行う者もいる。

勘違いして欲しくないのは、よく言われているように「リアルで相手にされていないから、二次元に逃げている」人だけではないのだ。多くの者が、リアルよりも二次元のほうが好きだから、キャラクタを恋人とし、配偶者とする。近年の「正義」や「多様性」のくくりには入れてもらえないので認知が進まないが、そういう性的少数者だということである。

今まではこうした少数者だけの市場だったが、長い時間を経て仮想空間で恋人や配偶者を実装するための技術が磨かれたこと、リアルの恋愛リスクが高騰していることなどから、もう少し大きなセグメントがリアルから仮想現実へ流れていくことが予想される。

今はまだ想像の範疇でしかないだろうし、嘲笑う人も多いかもしれないが、プロローグで触れたトッパンＶＲのように、コピー不可能だと考えられていたオリジナルも、閾値《いきち》を超えた情報の質と量を得たときデジタルで再現できるようになる。少なくとも、人の感覚にそう捉えさせることができるようになる。

リアルの男性や女性が恋愛市場で敗北する日は決して夢物語ではなく、遠い未来の話でもない。

それを不毛な自己愛の肥大と捉えるか、高齢者も障害者も性的少数者も、ためらうことなく恋愛市場に踏み出せる理想社会の到来と考えるかは、それこそ自由である。

高齢者とメタバース

技術に疎い高齢者もメタバースで生きられるのか？

こうした質問に接することは、よくある。

政策を考える会議などでも、「高齢者はＩＴに疎い」を所与の条件として、議論がなされる。しかし、これを世代論で語ることがすでに間違っているのではないだろうか。

私の恩師の一人はもう90歳に近い。電話を使いにくくなるほど耳も不自由だ。しかし、オブジェクト指向言語を使いこなし、未だ難解なエアロダイナミクスの解析プログラムを書く。それは過去にその道の玄人だったからだろうと言うのであれば、若宮正子さんはどうだろう。若宮さんがプログラミングを始めたのは81歳のときだ。今では世界的に著名なアプリ開発者である。

若年層はどうだろう。デジタルネイティブと呼ばれる世代も、そろそろ本格的に社会の中核を形成する年齢になった。しかし、未だ大学はコンピュータリテラシの授業でキーボードの使い方を教え、会社の新人研修ではエクセルを習う。

彼らをディスっているわけではない。先端のガジェットを素早く使いこなすスキルや、与えられたシステムを活用する発想はこの上なく見事だ。でも、スマートフォンやタブレットを身近な端末、ファーストスクリーンとして育った彼らは、パーソナルコンピュータのディレクトリ構造を知らない。

業務で何かを作り出す作業では、今しばらくはパーソナルコンピュータの助けが必要であろう。デジタルネイティブ世代であるから、教わりもせずにウィンドウズやマックＯＳを使えるわけではない。そんな期待をされたら彼らも迷惑である。

囲まれてきた環境によってその機械を使いこなす準備ができている人の多寡はあれど、世代で技術への適合性をぶった切るのは雑が過ぎる。当たり前のことだが、情報システムが好きかどうか、得意かそうでないかは一人一人違うのだ。

技術の目的は、人ができないこと、苦手なことのサポート

情報技術に限らず、すべての技術は、基本的にはオーグメントデバイス（人間の能力を拡張する機械。マウスなどが登場当初そう呼ばれた）を作る。生身の人間ができない、荷が重いことをサポートし、できるようにする。だから、障害のある人や高齢者にとってこそ、使

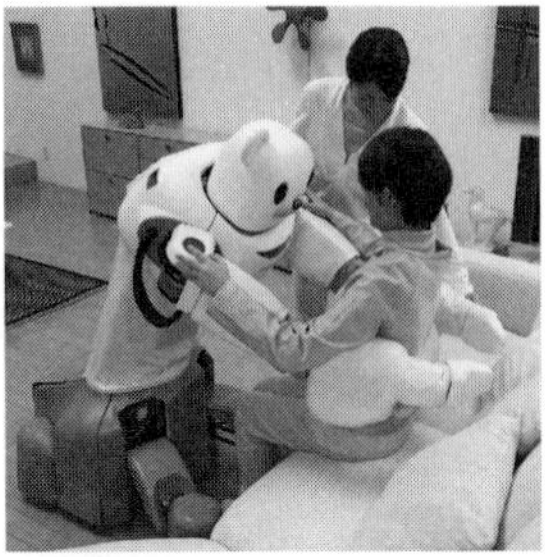

介護ロボット
http://rtc.nagoya.riken.jp/ROBEAR/media/

うメリットがある。

　障害のある人や高齢者を介護する機械やロボットはかなり一般化し、受け入れ側の忌避感もなくなってきた。使い方にも工夫がこらされ、「難しそうだから、使うのをやめておこう」という域は脱している。ロボットの場合はリアルで稼働する制約があるので、まだまだできることは限られているが、仮想現実内であればできることのバリエーションはずっと広がる。

「お年寄りは現金が好きでしょ」と決めつけてしまっては、可能性は広がらない。目がかすみ、計算に時間がかかるようになり、指先が不如意だからこそ、電車に乗るときはキャッシュレスで決済したいかもしれない。元気でぴんぴんしている人より、使うことで得られる快適さの向上度合いが大きい。

　新しい項目を習得し、使いこなす能力が落ちているならば、それをこそ情報技術やＡＩでサポートするのである。技術はもともとそのような目的のために生まれたのだ。

高齢ゲーマー

「ご高齢者は新しい取り組みが嫌い」は、それこそ偏見だろう。八十の手習いでプログラミングを始める人もいれば、高齢になっても（高齢になったからこそ）、ゲームを楽しむ人もいる。

２０２１年３月26日には、ねとらぼが高齢ゲーマーのことを報じている。10年以上「細菌撲滅」をプレイし続け、２台のＤＳを使い潰した77歳、「ダンまち」のチャットに興じる69歳、「エーペックスレジェンズ（Apex Legends）」で勝利を積み重ねる62歳が活写されている。

ここでいう「ダンまち」とは、メディアミックス作品「ダンジョンに出会いを求めるのは間違っているだろうか」のソシャゲである「クロス・イストリア」のことだ。ネットのジャーゴンが飛び交うソシャゲでのチャットは難易度が高かろうと思うが（私は尻込みする）、リセットボタンがない環境でのゲームを楽しんでいると気炎を上げる。

エーペックスレジェンズに至っては反射神経勝負のＦＰＳ（一人称視点狙撃ゲーム）である。先述したＧＴＡより治安がいいとは言え、素早さが求められる殺伐とした世界である。そこに、ディスコード（Discord：ゲーム用のコミュニケーションツール。ビデオチャット、ボイスチャット、テキストチャットなどが使える。ビジネスにも転用されている）でチャットをしながら参戦しているという。ディスコードやスラックって、会社でも使いこなせている人は多くない。すごいことである。

おじいさんが畑仕事に行っている間に「細菌撲滅」にアクセスするおばあさんといい、高齢ゲーマーはなんだか楽しそうだ。もちろん、この中には元プロというか、その道が専門だった人が混じっているので、全体に敷衍《ふえん》するのは危険だが、高齢者のポテンシャルを舐めてはいけないと思う。

歳を取っても二次元が好き！

仮想現実での恋愛もＯＫだ。私はかつて、「大人になったら、こんなに好きな二次元女子からも卒業していくのか」と寂寥《せきりよう》にとらわれたことがあったが、すっかり高齢になった今もまったく卒業できていないし、何なら昔よりもっと好きになった。

将棋界の重鎮で、本当に真面目な人格者である高橋道雄九段も、「けいおん！に出会って人生が変わった」「ラブライブに精神世界を全部持っていかれるかと思った」などと発言しているので、歳を重ねてからでも十分に仮想現実に適応できると思われる。

「ネット世論」の危険性

メタバースは、穏健な「ふつうの人」のために、何より必要だと考える。私はここで、すでにトリッキーな書き方をしている。『ふつうの人』や『ふつうの人生』などというものはあり得ず、かけがえのないオンリーワンの人生をすべての人が生きているのである」と反論する余地がある表現だからである。

そういうのにちょっと疲れてしまった人は多いと思う。

ふつうの人生や平均的な人生は測りにくいかもしれないが、波風立たない尖らない人生はあり得るだろう。いきなりオンリーワンの人生を背負わされ、その可能性の限りを極めろと言われても、そんなことしたくない人もいるだろう。

現状では、そういう声はいまひとつ上げにくいし、ネガティブに捉えられがちである。獲得した自由は行使し、満喫しなければならないという圧がかかっている。理屈としては合っている。正論なだけに抗しがたい。だが一方で、そんなに疲れることはしたくないのも、人としてのどうしようもない現実だと思うのである。

また、この傾向をインターネットが助長する。

誰もが発信できるようになった。インターネットが技術的にそれを担保した。個人の自由もかつてないほど重んじられている。こうした状況が揃うと、言論空間が焼け野原のようになることはすでに論じた。

誰もが自分なりの生き方や個性、正義を主張しなければならないし、そうであれば人の意見や利得と不可避的に競合する。そこで相手の意見を受け入れることは、損失や敗北を意味する。「譲り合う」は選択肢のうちにない。そんなぬるい概念は、同一の価値観を持ち、大きな権威が他を圧する社会ではじめて機能するのだ。

重ねて言うが、自由と平等は本来食い合わせが悪く、自由を促進すれば平等は後退する。口を開けて待っていても、平等が降ってこないのであれば、自分で勝ち取るしか方法はない。だから社会は殺伐とする。とはいえ、一度自由を知ってしまった後で、絶対王政の世の中に戻れるものではない。私たちは戦わなければならない。ブログやSNSは常に炎上のリスクを含んだ油断のならない戦場になる。

でも、そんな状態で戦い続けられる人は多くない。

極端な意見を持つ人がこの戦場に残り続けることは知られている。左でも右でも、改憲派でも護憲派でもそうだ。強固な信念のあるがゆえかもしれないし、単に聞く耳を持っていないだけかもしれない。批判や誹謗中傷に強いのである。

しかし、これらの人々は少数派である。多くの人は批判に耐えられないし、自分が直接攻撃されていなくても、罵り合いの続く言説空間などにいたくない。そこで、降りてしまうのである。マジョリティは昔からサイレントだった。ネットワークの力を得て、その無音さはさらに徹底されるようになった。

無音であるから、今やマジョリティの意見はリプリゼンテーションされにくい。声を上げないのだから当然である。

インターネットの発信力が増大し続けているから、マスコミの予算削減が危険な水準に達しておりニュースソースが枯渇しているからなど、理由はいくつもあるが「ネット世論」としてネット上で目立つ意見が報道の形で広まる機会が増えた今、これはリスクの兆候である。

ごく少数の、しかも偏った意見が、一つの世論として社会に認知されるからだ。マジョリティは自分にとって違和感のある意見が、存在感を増していくさまを眺めることになる。

ITに追いつけない行政・司法

正義の捉え方もそうだ。

ポリティカルコレクトネス、あるいはポリティカリーコレクトの考え方はすっかり浸透した。現代社会で暮らしていて、一度もこれらに遭遇しない日はないだろう。正義が実行されるのは、とてもよいことだと思う。不正義より正義のほうがずっといい。

でも、正義は劇薬である。特に価値観の多様化した社会では、誰かの正義は誰かの不正義であり、正義を実行する者はその正しさの安心感で、誰よりも残酷なことができるからである。

最初から自分を不正義の側に立たせて鉄面皮でいられるほど人は強くない。ヒトラーも東条英機も自分の正義を疑わなかっただろう。正義はみんなが求めているが、慎重に扱わなければならないものでもある。

ポリティカルコレクトネスの実運用では、それが軽くなっていると思うのだ。これにも、インターネットの勃興とその特性が関係している。

民主主義の制度や、そこで何を正義とするかは時間をかけて形成されてきたが、人々が生活の軸足をインターネットやメタバースに移すと、この制度はあまり意味をなさなくなる。

法律は未だＩＴに詳しくない。法律の知らないところで、ＩＴのアーキテクチャが社会のしくみを作り上げ、新しい社会や新しい正義を、一部の人の意見だけで実装していく。

たとえば、こんなことがあった。

総務省は日本のセキュリティ施策の元締めである。総務省は頻発する情報漏洩事件を憂慮していた。そこで、通信の暗号化を含む施策の励行を訴えるが、なかなか広まらない。

グーグルはこの問題を速やかに解決した。自らが開発し、世界最大のシェアを持つブラウザであるクロームに、暗号化通信していないサイトでは目立つ警告を表示する機能を実装したのである。

これは効いた。どんなサイトであれ（アングラのサイトですら）、インターネットの覇者であるグーグルに、「危険なサイト」のお墨付きを食らうのはいやだったのである。国家機関が口をすっぱくして勧告し是正できなかったことを、民間企業があっという間にやってのけた。しかも、一時は総務省のサイトを見に行くと警告が表示されたというおまけつきである。総務省の権威は地に落ちた。

ソーシャルゲームのガチャは、その登場当初からずっと物議をかもしている。本当に書かれている通りの確率で景品が出るのか。故意にしろ不作為にしろ、間違いはないのか。そして、実際に間違いは頻発するのである。その際の謝罪や補填の仕方は一様ではなく、中には無視を決め込む運営企業もある。一般の商取引であれば許されないであろうこうした振る舞いが是正できないのは、監督官庁にこれを調査し是正する能力が育っていないからである。

正義もそうである。現状で、正義の定義は不明瞭だ。多様化した考え方のぶんだけ正義がある。正義と正義がぶつかったとき、譲ったり負けたりすると自分が不正義の側に立たされてしまうから、殴り合いや炎上に発展するのである。

このとき、手っ取り早く勝利を収めたければ、**多くの人に支持してもらえばいい**。ネット上のトラブルで、速やかに審判を下してくれる機関や権威はなく、そもそもそういう権威を否定する思想から生まれたのがインターネットである。そうした状況下では、多数の人に支持される正義が、よりもっともらしい正義として生き残れる。

すると、正義の証明は動員ゲームになる。選挙の票が１票でも誤計算されたら大騒ぎになるが、ＳＮＳの「いいね！」やショッピングサイトへの低評価レビューという、いくらでもダブルカウントがきく不確かな数を根拠に民意が形成されていく。

そう、これは民意の形成だ。若年層は選挙に行かないなどと嘆かれているが、彼らは民意の形成に不熱心なわけではない。シルバー民主主義をはじめとする構造的な問題で、選挙が民意の形成手段として機能不全を起こしている。少なくとも、若年層にそう捉えられている。だから代わりにこれらの手段を通じて自らの意思と意見を表明するのである。

そこでは理屈の正しさよりは、わかりやすさが重要だ。よりシンプルで、より被害者の立場に立てるものがいい。それを高い発信力で拡散し続ければ、やがて正義を獲得することができるだろう。

このとき、司法のしくみであれば、負けた側にも言い分があることや、罪を負わせるにしてもこの水準まで、ということを認定するが、不特定多数の動員ゲームで戦うネット上にこれらの定めはない。負けたほうはどこまでも悪者で、罪をつぐなうにしても、いつまで、どのくらいやったらいいのかは、正義を主張した者の気分と裁量に委ねられる。

「言論によって士大夫《したいふ》を殺さず」は、すでに宋の時代に合意があった。現代に至る言論の自由の命脈である。しかし、現代は言論によって簡単に殺される。誰に言ったでもないつぶやきで刺され、価値規範や正義の基準が今とは違っていた過去の発言にまでその正義の刃は遡及適用される。

それはＩＴ巨人が用意した快適な犬小屋か？

　正義はより大きな声を出せる者、四六時中発信し続けて倦《う》むことを知らぬ者の手に移行しつつある。もとより正義など、市井の者にとっては遠く手に余りがちなものであったが、個々人が自分の正義を持たねばならないこの状況が、皮肉にもその傾向に拍車をかけている。

　正義を大きな声で語る人に、悪意があるとは思わない。必要なことであり、権利でもあると思う。でも、彼らにフィードバックがかからないことは、不幸なことだと思うのだ。フィルターバブルでいう、**エコーチェンバー現象**である。フィルターバブルでは、同属性の人たちが集うことで、似たような意見が言説空間内を飛び交う。すると、そこに参加している者は、周囲が自分と同じ意見ばかりであることに意を強くし、その意見はより先鋭化していく。

　イメージしにくければ、幼稚園のころのことを思い出してみるとよい。先生に怒られたときに、「みんなもやってた」と言ったことはないだろうか。そしてそのみんなとは、たかだか2～3人の仲のよい友だちではなかっただろうか。フィルターバブル内では、大人でもこの陥穽《かんせい》にはまる。

　正義はフィルターバブルで加速する。ＳＮＳを使っていなくても、である。マジョリティは沈黙し、周囲には似た意見の者が集まる。世界中を飛び回って多様な社会を見ていると自認する人でもあまり関係がない。どこの国にも同属性の人はいるし、集まる。

正義を主張する人は、その善意から、まだ正義に至っていない未開の人を啓蒙しなければと焦る。こうして、正義を決める人とマジョリティの隔たりは大きくなる。

感情と正義の同一化もやっかいな問題である。個人主義の浸透した世の中では、個人が自分なりの考えを持つのはよいこととされている。「君がいやだと感じたら、ハラスメントなんだ」という言い方もある。それはおそらく正しいのだけれども、表層的に理解してしまうと、「自分の気分を害するものは、不正義だ」と短絡してしまう可能性がある表現である。

そのため、正義にまつわる論争なのか、単に自分の感情を害されて怒っているだけなのか、にわかには判別がつかないレスバトルがある。

今私たちがおかれている環境は、このようなものだ。よほど強い主張がなければ、よほど確固たる覚悟がなければ、参入するのをためらう空間である。だから多くの人は降りてしまうのである。バランスのよい意見を持つ人ほど、嫌気が差してしまうのである。ＳＮＳの奥底に引きこもり、フィルターバブルの繭《まゆ》に包まれ、快適に過ごすほうがよほどよい。生産的ではないかもしれないが、自分も傷つかないし、他人も傷つけない。

ＳＮＳは過渡期の技術であるため、繭としての機能は十分ではなく、またリアルに帰っていく必要もあるが、メタバースはさらにその世界への没入を許し、分厚くて安全な繭になってくれるだろう。

それは福音ではなく、単に地獄の回避であるかもしれない。やがてくる破局を先延ばしにするか、別の破局を呼び込むものでしかないかもしれない。国家や村社会から逃れ、自由の荒野からも逃れた先は、ＩＴ巨人が用意した快適な犬小屋だったのかもしれない。

しかし、それを飲み込んでなお、メタバース的なものを求めている人は、私たちの想像を超えて多いだろう。テックジャイアントに支配されることは気持ちがいいだろう。胡乱《うろん》な政府より、ずっと質のいい快適を提供してくれる。

私たちにできることは、人々が欲求し、これから確実に産み落とされるメタバースが、私たちを飼い慣らす技術ではなく、個々人の人生の選択肢を広げる方向へ作用するよう、考え、利用していくことである。

第4章　ＧＡＦＡＭのメタバースへの取り組み

「メタバースというのは、仮想空間における社会というだけでなく、そこに参加する私たちそれぞれの社会への関わり方についても、これまでにないさまざまな選択肢を与えてくれる」

——サティア・ナデラ（マイクロソフト）

ＧＡＦＡＭはメタバースの商機を見逃さない

ここまでメタバースがどういうものなのか、メタバースの先駆けとなる事例や企業について考えてきた。メタバースが今後私たちの生活に根付いていくだろうということ、重要な収益源となるであろうことはＩＴ業界においてはほぼ合意されている状態であり、その認識が一般企業にも広がっていくだろう。

メタバースのことを、「インターネットの次のインフラ」とする言い方があるが、本当は少し違う。ＳＮＳにしろ、メタバースにしろ、インターネット上で展開されるサービスなので、インターネットに代わってメタバースが台頭するわけではないのだ。インターネットは今後も重要なインフラであり続ける。

では、インターネットや、インターネット上で展開されるウェブ、ＳＮＳで、この上なく上手に覇権を勝ち取ってきた企業は今後どうするのだろう？　指をくわえて見ているわけはない。

メタバースはインターネットの代わりではないが、ウェブやＳＮＳの代わりにはなり得る。

２０００年代、インターネットの情報流通のほとんどはウェブでなされ、そこで王者として君臨していたのはグーグルだった。

これが２０１０年代になると、情報流通の主戦場はＳＮＳへ移行していった。グーグルは売上も利益も未だ盤石な企業だが、このとき失ったものは大きい。今、一番面白い話題にはウェブ検索ではたどり着けないかもしれない。ＳＮＳのグループに入り、プッシュ通知を受けることではじめて到達できる情報がある。若年層の情報摂取行動は、検索から通知へと大きく変容している。グーグルはＳＮＳの大波がやってきたときそれに乗り損ね、フェイスブックに情報流通の少なくない部分を持って行かれたのだ。グーグルは未だに自社のＳＮＳを確立するに至っていない。

何かが流通するとき、その全体を俯瞰《ふかん》し、管理する立場にある者や企業は大きな利潤を得る。そう考えるならば、ウェブでうまくやったグーグルも、ＳＮＳで名を成したフェイスブックも、情報流通の端末をブランド化することに成功したアップルも、メタバースの商機を見逃すことはできない。

それは単に大もうけの機会を逃すに留まらず、新しく構築される人類の共通基盤において敗者のポジションを確定させる行動になるからだ。潤沢な資金と技術を持つあのマイクロソフトでさえ、ウェブ検索の出遅れを挽回することはできなかった。『１９８４』のビッグ・

ブラザーになぞらえられることすらあるグーグルも、SNSで支配的な地位につくことはないだろう。インフラを巡る抗争は、一度負けると取り返しがつかないのだ。

この章ではGAFAM(グーグル、アップル、フェイスブック、アマゾン、マイクロソフト)とくくられ、称される各社が、どうメタバースと向き合い、戦おうとしているのかを見ていこう。

I　フェイスブック——最も派手にメタバースを照準

「メタ(Meta)」への社名変更

世界に冠たるテックジャイアントの一角、フェイスブックがその社名を「メタ(Meta)」(正式にはメタ・プラットフォームズ)に変更した。株式市場で使われるティッカーシンボル(銘柄コード)も「MVRS(メタバース=Metaverse の省略形)」で、メタバースを強く意識させる。私たちが慣れ親しんだフェイスブックはサービスの名称としてその名を残すが、かなり思い切った意思決定だ。

これをもってGAFAMがなくなり、MANGA(メタ、アップル、ネットフリックス、グーグル、アマゾン）になるなどと言われている。フェイスブックはもともと自らが提供するＳＮＳの中毒性や個人情報の無造作な運用、報道機関とは異なる情報配信者としての意識の低さ、それが原因でフェイクニュースの温床になっていることなどで多くの手厳しい非難に晒されていたので、それを躱《かわ》す意味合いもあるだろう。

　おじさん同士でいちゃいちゃする場としての認知が固定化し、持続的なビジネスの源泉である若年層の顧客が逃げ出しているのも彼らの頭痛を加速させている。看板をかけかえて、新生をアピールしたい誘惑に駆られる。

　しかし、それ以上にメタバースが実現する新しい社会構造に惚れ込み、それが生み出すであろう金脈に目がくらんでいるように見える。彼らはメタバースという大陸のコロンブスになりたいのだ。

　メタ・プラットフォームズという正式社名にもそれがよく表れている。

　フェイスブックはすでにホライズン・ワークルームというVRサービスを保有している。仮想世界でアバターを使ってミーティングやブレインストーミング、コラボレーションができるものだ。ＶＲの立体視と空間オーディオ技術はまるでそのアバターと同じ部屋で仕事をしているかのような感覚を提供する。フェイスブックがオリジナルとして持っているサービスの中では最もメタバースに近いものと言える。

だが彼らはこれに満足していない。これから同業他社がメタバースに続々と参入するにしても、その基盤部分は自分たちで握ろうとしている。だから、「プラットフォームズ」なのである（マイクロソフトは同じことをメタバース・スタックと表現している）。誰がメタバースの勝者になるかはわからないが（もちろんフェイスブック自身がそうなりたいだろうが、100％の確率で達成できるほど甘い目標ではない。彼らは近年の新規事業を結構な割合で失敗させている）、そいつは仮想世界における必要不可欠なインフラとして（ガスや水道のように）フェイスブックを使うという目算である。

メタバース的なコンテンツを作るのに強烈な威力を発揮するアンリアルエンジン（38ページ参照）は、結果的にメタバースのプラットフォームになるかもしれないが、もともとはゲームエンジンであり、明確にメタバースを照準していたわけではない。アマゾンのAWS（Amazon Web Services：クラウド型の情報基盤）もそうだ。フェイスブックはそこを突きたいのだ。

実は脆弱なビジネスモデル

フェイスブックは今のところ、ＧＡＦＡＭの中で最も派手にメタバースを照準している企業といえる。彼らにはそうせざるを得ない事情がある。

２０１９年のフェイスブックの純利益は１８５億ドル（2兆３５０億円）。個人の視点で見れば、想像もつかないほどの巨額である。いや、国家レベルで捉えてもすごい。イエメンのＧＤＰとどっこいである。途方もない額だ。

ところが、売上高は７０８億ドル（7兆７８８０億円）だ。フェイスブック以外のＧＡＦＡＭは１０００億ドル（11兆円）を超えているので、その中では一番小さいマイクロソフトのさらに半分ほどになる。これを、常軌を逸した利益率と評価するか、スケールが小さいとくさすかは難しいところだ。

一つ言えるのは、彼らはＧＡＦＡＭの中では他のサービスへの依存度が高いということだ。もちろん、今のインターネットシーンでは誰もが誰かに依存している。すべてのサービスがインターネットに依存しているし、アマゾンはグーグル検索がなくなれば売上を落とすだろう。グーグルだってウェブがなくなれば、存在意義を失う。

しかし、フェイスブック以外のＧＡＦＡＭは、余人をもって代えがたい基盤的なサービス

（＝プラットフォーム）を手中にしている。アップルはアイフォーンを人類の何分の一かに売り、アマゾンは物流を支配してその地域の雇用創出にも大きな影響を与えている。グーグルはアンドロイドでリアルの端末やＩｏＴと結びつき、マイクロソフトのＯＳは人の命に関わるミッションクリティカル（基幹業務、重要業務）に深く食い込んでいる。

この状況を他社が覆せないとは言わないが、容易に逆転できる可能性のほうがさらに薄い。それに比べると、フェイスブックのビジネスは脆弱《ぜいじゃく》である。

もちろん、ネットワークビジネスは先行者利得が大きいので、フェイスブックのビジネスも覆しがたいのだが、たとえばフォートナイトに対して行ったように、グーグルとアップルがアプリストアからフェイスブックのアプリケーションを排除すると、フェイスブックには大きなダメージになる。実際にアップルが個人情報保護を強化したことでフェイスブックのビジネスはダメージを受けている。他人にプラットフォームを握られるとはそういうことなのだ。

フェイスブックは、どんな外圧や新規勢力の台頭にも揺らがない、確固たるプラットフォームが欲しいのである。彼らはメタバースにそれを見いだしたように読める。

オキュラス（Oculus）の買収

そのせいか、フェイスブックのメタバースへの挑戦は、ガジェットを通して行われている。具体的にはオキュラスの買収や、神経入力ＡＲの開発だ。

繰り返し述べてきたように、メタバースは「もう一つの世界」である。メタバースのサービスは利用者をそこへ連れて行けばよい。したがって、よいインタフェースがあることは重要だが、それがＶＲやＡＲである必要はない。

しかし、フェイスブックはメタバースへのアクセスをＶＲで行いたいようだ。彼らが技術としてのＶＲに光明を見いだしていることは、一つの説明になるだろう。でも、それ以上に大きいのは、ＶＲがリアルな装備だからだ。

ＶＲヘッドセットは高額で、十全に使いこなすのには時間がかかるガジェットだ。一度購入させてしまえば、利用者をロックインできる可能性は高い。フェイスブックにとっては垂《すい》涎《ぜん》の商品だろう。ＧＡＦＡＭの中では、比較的乗り換えがしやすいサービスだった自社製品が、ついに顧客をロックインするのだ。

オキュラスは、２０１２年創業のベンチャー企業である。もともとの社名は「オキュラス

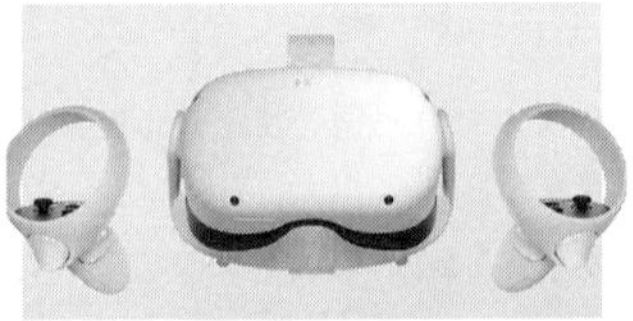

オキュラスのHMD（ヘッドマウントディスプレイ）
https://www.oculus.com/?locale=ja_JP

ＶＲ」だった。ＧＰＵメーカーのエヌビディアもそうだったが、「新規分野でゴリゴリ金儲けをするぜ！」というよりは、ゲーム好きの研究者・開発者が「もっといいゲームがしたい」と目論んだ色彩が強い。

それまでにもＨＭＤ（ヘッドマウントディスプレイ）市場は存在していたが、オキュラスはゲーム好きの利用者を明確なターゲットにしたこと、要素技術が次世代ＨＭＤを組むにふさわしい閾値を超えつつあったこと、初期メンバーにやたら能力とモチベーションの高い人材が集まったことなどを理由に、それまでとは隔絶したコストパフォーマンスを発揮する機器の開発に成功した。「オキュラスリフト（Oculus Rift）」である。

オキュラスは２０１２年にクラウドファンディングなどで1億ドル（１１０億円）ほどの資金を調達していたが、フェイスブックのマーク・ザッカーバーグがここに割って入る。彼は20億ドル（２２００億円、オプションでさらに3億ドル〈３３０億円〉）を提示し、２０１４年にオキュラスを買い取った。

これが高い買い物だったかどうかは、まだわからない。もしメタバースで覇権を握るきっかけになるのであれば、笑いが止まらないほど効率のよい投資だったろう。

貧弱な映像体験

その後のＶＲ市場は、ぼちぼちである。すごくよくもないが、すごく悪くもない。「あのザッカーバーグがオキュラスを買った」「ソニーもＰＳ　ＶＲで参戦する」などの話題に事欠かず、実際にオキュラスリフトとＰＳ　ＶＲが市場に投入された２０１６年はＶＲ元年と呼ばれた。

確かにＩＴ業界の中、ゲーム業界の中では盛り上がったのだが、一般消費者にそのブームは届かなかった。一製品としては成功だったろうが、インフラになったとはとても言えない。イノベーター（新しいもの、流行りものに最初に飛びつく層）からアーリーアダプター（イノベーターの次に新しいものに敏感な層。インフルエンサーになりやすく、ここに受け入れられると一般に広く普及する可能性が出てくる）への最初の溝を超えられず、まだアーリーアダプターにさえ、十分に受け入れられていないのだ。

理由はいくつもある。

まず、映像体験が貧弱だった。オキュラスリフトの解像度は片目１０８０×１２００（Ｖ

Rでは両目に異なる映像を映すため、片目ごとに独立したモニタを用意する）、両目２１６０×１２００、ＰＳ ＶＲは片目９６０×１０８０、両目１９２０×１０８０である。

４Ｋ（３８４０×２１６０）には及ばないものの、フルＨＤ（１９２０×１０８０）相当ではあるのだから、そこそこいい画質のように思えるが、ヘッドマウントディスプレイは極めて目に近いところで動作する。そのため、画面のゆがみを補正したり、全周を表示する必要もある。単純にテレビの解像度と比較するわけにはいかない。

あくまでも目安に過ぎないが、没入感のあるＶＲを実現するには８Ｋや16Ｋの解像度が必要と言われており、それを基準にするとＶＲ元年のＶＲヘッドセットは解像度が低すぎたのである。

重装備すぎたオキュラスリフト

重装備であることも、普及を妨げた要因だ。

画面を綺麗に表示することは、想像以上にコンピュータにかける負荷が大きい。４Ｋ程度の画像であっても、フレームレートを高くするためには高額で大きなＧＰＵが必要になる。

高性能ＧＰＵは排熱も多くなるため、大型の冷却ファンなどを擁したデスクトップＰＣを用意し、ＶＲヘッドセットをＵＳＢなどの有線ケーブルでそこに接続する形になる。

あらゆるケーブルが邪魔者扱いされ、通信ケーブルや電源ケーブルなど生活必需品としての度合いが大きいケーブルでも無線化が進んでいる中で、これは捨て置けない逆風だった。

また、自分のダンスをアバターと同期するなどの用途に使うモーションセンサも、大がかりだった。総じて、気軽に購入したり、店頭で衝動買いできる製品ではなかったのである。

ＨＭＤかメガネ型か

メタバースにアクセスするためのデバイスのあり方も、各社の事情やポリシーを反映している。フェイスブックはオキュラスを買収することで、ＨＭＤをその本命に据えていることを明示したが（フェイスブックもメガネ型ディスプレイであるスマートグラスを開発しているが、ＨＭＤにより多くの経営資源を割いている）、グーグル、アップルはスマートグラスに注力している。

性能、機能的にはどちらにも一長一短あるが、特にアップルはメガネ型ディスプレイ以外の選択肢はなかっただろう。ＨＭＤはどうデザインしても無骨になる。スタイリッシュな機器とサービスを提供することは、アップルの企業価値の根幹を形作っている。冴えない形状の製品を投入すれば、その価値を毀損してしまう。

成人コンテンツの大きな役割——オキュラスゴー（Oculus Go）の普及

フェイスブック傘下に入ったオキュラスは、これらの事態を重く見て製品構成に手を加える。具体的には、オキュラスゴーをそのラインナップに加えた。オキュラスゴーは無骨なＨＭＤではあるのだが、母艦としてのＰＣに接続しなくてもよいスタンドアロンのデバイスだ。ケーブルが不要になった手軽さは、ライトユーザを呼び込んだ。パイとして巨大とは言えないものの、オキュラスゴーがそれまでマニアのものでしかなかったＶＲ市場に質的な変容をもたらしたと見ていい。

あるデバイスやメディアが持続的な普及を続けるためには、成人コンテンツが大きな役割を果たす。日本における成人向けＶＲコンテンツの最大手サプライヤはＤＭＭで、ＶＲ元年と言われた２０１６年に有料ＶＲコンテンツの販売を開始している。

初年度の売上にはさほどのインパクトがなかったが、２年目にあたる２０１７年には売上を倍増させた。オキュラスゴーの普及は、その要因の一つであると強く推定される。成人コンテンツを視聴するときに、ＵＳＢケーブルでがんじがらめになりたい人はいないだろう。

いや、そういうプレイもあるのかもしれないが。

オキュラスゴーの解像度は両目で２５６０×１４４０。スタンドアロンであるにもかかわらず、オキュラスリフトに比べて解像度を上げてきた。さすがの資金力と技術力である。ただ、やはり膨大な計算量を求められるヘビーなコンテンツでは処理能力不足を感じさせた。

また、初代オキュラスリフトが利用者の頭の向きや傾きの変化に加えて、体の移動も検知できる６ＤｏＦであったのに対して、オキュラスゴーはコストカットのために３ＤｏＦ（移動は検知できない）に抑制されていた。

これだと、後ろを振り返ったり、空を見上げたりすることはできるが、仮想現実内を移動することはできない。仮想現実に没入してヘビーにその世界を楽しむのではなく、どちらかと言えば簡便に立体画像や３６０度ビューを楽しませる端末として設計されたことがうかがえる。

それを裏付けるかのように、オキュラスは初代オキュラスリフトの後継機に位置する「オキュラスリフトＳ（Oculus Rift S）」を２０１９年3月に投入する。この時点ではまだ有線ケーブル仕様の、ＰＣと接続するタイプのＨＭＤを売り続ける意思があったのだ。

しかし、時代の趨勢《すうせい》は明らかにスタンドアロン型に傾きつつあった。一般利用者を取り込みたいのであれば、そうせざるを得ない。オキュラスが、オキュラスゴーの系譜に連なる「オキュラスクエスト（Oculus Quest）」を２０１９年に投入すると、市場は大きく反応した。

オキュラスクエストの成功

オキュラスクエストは片目１４４０×１６００、両目２８８０×１６００の解像度で、６ＤｏＦに対応するセンサを持つ。高性能化したぶん、価格も重量もオキュラスゴーより大きくなっているが、ケーブルでＰＣに結ばないと稼働しないオキュラスリフトよりずっと簡単に使える。

ＣＰＵ、ＧＰＵの性能が上がり、６ＤｏＦになったことで、比較的重たいアプリケーションも楽しめるようになった。もちろん、本気で込み入ったゲームをするのであれば、母艦につなぐオキュラスリフトシリーズにアドバンテージがあるのだが、消費者は高性能よりも手軽さを支持したのだ。２０２０年に世界市場で10億ドル（１１００億円）を突破することになるＶＲ関連消費の売上は、オキュラスクエストが道をつけたと言っていい。

オキュラスクエストの成功は、オキュラスの製品戦略にも影響を与えた。初代から続くＨ

ＭＤの本筋であったオキュラスリフトＳの販売を２０２１年で終了したのだ。今後、有線接続式のＨＭＤを開発しないことも明言している。オキュラスリフトのほうが性能面でのポテンシャルは高いのだが、消費者がついてこなかった。

　では、スタンドアロンでは荷が重いヘビーアプリケーション、端的には超高精細なゲームなどはどうするのか？

　スタンドアロン型であったオキュラスクエストをＰＣにつなぐ逆流措置がとられた。クエストがリフト化したわけではない。あくまで、基本はスタンドアロンで動作し、単体では手に余るときだけ有線ケーブルを使ってＰＣに接続するのである。この機能は「オキュラスリンク（Oculus Link）」と名付けられ、２０１９年にベータ版が、２０２０年には正式版がリリースされた。

小型軽量化と洗練された外見が必要

　２０２０年10月にはオキュラスクエスト2が発売となった（これも各種媒体での表記が順次メタクエスト〈Meta Quest〉に切り替わりつつある）。ＣＰＵ、ＧＰＵが強化され、スタンドアロン機としての性能が向上している。もちろん、オキュラスリンクを使うことも可能である。解像度は片目1832×1920、両目3664×1920でオキュラスリフトSを上回った。製品ラインナップの統合を強く意識させる仕様になっている。今後もこのラインで製品開発が継続していくことになるだろう。

オキュラスクエスト2は、現実とは異なる世界へ没入するデバイスとして、一定の水準に達したと思われる。しかし、まだ技術好きやゲーマー以外に利用が広がっているとは言いがたい。確かに、暑くて蒸れ、しかも重たいHMDを長時間かぶってまでアクセスしたいほどメタバースはまだ魅力的ではなく、実利もない。

フェイスブックはメタバースへの技術的冒険を続けるだろうが、アーリーマジョリティ（やや慎重な多数派層）へのキャズム（深い溝）を超えるにはなお数段階の小型軽量化と見てくれの向上が必要だ。

スマートフォンからファーストスクリーンを奪い、ランチや満員電車の隙間時間、一日の終わりのアクセスをSNSから奪うには、メタバース自体がゲーマー以外でも楽しめるコンテンツをもっと増やさねばならず、何よりもHMDの外見が洗練され、かぶって外を歩けるくらいになる必要がある。

フェイスブックはアップルやグーグルのようにグラス型のアプローチをとらなかったので、

没入感ではアドバンテージを持っているが、デバイスの洗練にはより多くのハードルが待ち構えている。

脳による機器操作――ＡＲのＨＣＩ

フェイスブックのもう一つの成果は、ＡＲのＨＣＩ（ヒューマンコンピュータインタラクション：人と機械の接点）に関するものである。最終的には脳波の読み取りを目指している。

その発想自体は真新しいものではない。指でキーボードを叩くにしろ、音声で命令を読み上げるにしろ、それを司っているのは脳機能である。脳が考えていることを直接読み取れれば、指や声帯に余計な運動をさせずにすみ、入力の速度と精度をもっと向上させることができる。ブラインドタッチの練習に人生の貴重な時間を費やさなくてもいい。

しかし、発想が古典的であることと、実現が簡単であることはまったくリンクしていない。脳波を電気信号として読み取れるようになって以降も、人の思考を可視化することはかなわなかった。

最近になって徐々に実装が進んだ技術も、たとえば理研が開発した車椅子の運転をするＢＭＩ（ブレインマシンインタフェース：脳による機器操作）や、アップルが研究中といわれる音楽再生を制御するＢＭＩと、ごく簡単な操作に過ぎない。

車椅子であれば、直進と左折、右折、音楽再生であれば再生と停止、早送りくらいのものである。この水準なら、なんとか考えるだけで機器を動かせる。それでも、実用化して商品として売るにはまだハードルが高いのだ。

フェイスブックのこの分野への貢献は、「脳波ＡＲ」などと報道されているが、少し盛りすぎの表現である。脳波そのものを読み取るのは今なお難しく、体を動かすときの神経情報をリストバンドのセンサで計測しているのである（脳波そのものを読み取る装置も開発していたのだが、早期実用化は諦めてしまった。今も続けているのは、イーロン・マスクのニューラリンクだ）。

だから、考えただけでコンピュータを操れるわけではない。タイピングならタイピング、マウス操作ならマウス操作のように、実際に手を動かす必要がある（本物のマウスを動かすより、ずっと少ないストロークですむが）。

そのとき「手を動かせ」と指示する信号が神経繊維を走る。フェイスブック方式ではこれを読み取るのだ。コロンブスの卵じみた話ではある。本当に脳波を読み取るやり方に比べたら、将来的な汎用性や到達できる性能は低いものになるだろう。

しかし、脳波計測がそんなに簡単に実現できる技術ではない以上、比較的短期間で投入できそうな製品としては魅力的である。少なくとも、車椅子や音楽再生よりはたくさんの場面で利用できる技術に育つだろう。もし付けていることを忘れるくらいの軽さで商品化することができ、フェイスブックがオキュラスとは別に開発しているスマートグラスと組み合わせられれば、これがＡＲのスタンダードになってもおかしくない。

いずれにしろ、フェイスブックのメタバース戦略はわかりやすい。メタバースにｘＲを不可欠なものと位置づけて、今までフェイスブックの弱みであったリアルと強くリンクする製品を売って自社の代替不可能性を底上げしつつ、メタバースの覇権を狙う。ＧＡＦＡＭの中で最もメタバースを渇望するポジションにいることもあり、ここ数年はメタバースの実装をリードする立場に立つだろう。

フラットであることはコストがかかる

グーグルも自分のビジネスをメタバースに移行したい理由を持つ企業である。

彼らの主要な収入源は、広告である。広告収入が１００％近くを占めるフェイスブックに比べればバランスはよいものの、それでも7割を広告に頼っている。

ウェブからＳＮＳへ情報流通の移行が見られるとはいっても、ウェブは未だ莫大なトラフィック量を誇っており、サイバー空間へのゲートウェイであり続けている。ビジネス用途ではメッセージングであれ情報提供であれ、ＳＮＳよりウェブを選択する利用者もまだまだ多い。

さらにはユーチューブを傘下に収めているので、テキストベースのコミュニケーションを嫌って動画へ流れる層もよく吸収できている。今のところ、彼らのビジネスは盤石に見える。

しかし、フラットなインターネットが終焉《しゅうえん》を迎えつつあり、コミュニケーション上のフリクションを嫌った利用者がますますフィルターバブルの中に深く閉じこもるようになると、フラットなインターネットの覇者であるグーグルには面白いことばかりではない。

ここに至るまでにも触れてきたことだが、「フラットなインターネット」がなぜいやがられるのか、腑に落ちない方はまだ多いと思う。世界中がつながることはよいことではないかと。

たとえば、身近なところで就職の面接をすることを想像してみたらどうだろう。

現在の就活シーンはフラットになった。少なくとも私が就活を経験した時代に比べれば、ずっとそうだ。どんな学校からでもエントリーシートは受け付けてくれるし、面接では親の職業や収入は聞いてはいけないことになっている。もちろん、コネ入社なんて論外だ。受験しに行く前の段階で、出自や紹介ですでに合格の可能性が失われていたら最悪である。

いっぽうでフラットであることは、コストも要求する。企業はフラットな選考をするために時間と費用をかけるようになった。大量に送られてくるエントリーシートを選り分けるのにも一苦労で、そこにＡＩを適用する企業が現れたのも記憶に新しい。

面接を受ける母集団が大きくなっているので優秀な人材が含まれている確率も上がっているはずだが、それをきちんと選ぶためのコストが跳ね上がっているのである。また、どれだけのコストをかけたとしても、面接や筆記試験の中でそれを正確に評価するのは難しいため、自社業務への適合度が低い人を選抜してしまうリスクもある。

学生の側も疲弊している。フラットな選抜によって、多くの会社が就活の選択肢に入ってきた。それまでは、そもそも受けられない会社があったので、自ずと選択肢は絞り込まれていたのだ。また、選抜の機会を均等化するため、多くの企業が複数回のエントリーポイントを設けている。すると、興味があって受験可能な企業は雪だるま式に増えていく。

誰でも受験できるがゆえに、多くの人が同じ企業に応募し、競争は激化する。数十社からお祈りメールをもらって意気消沈する学生の姿はもはや初夏の風物詩だ。

これも、理屈の上では幸せな状況のはずなのである。選択肢がたくさん与えられ、チャンスが複数ある社会は、いい社会のはずだ。しかし、幸せなはずのプレイヤは、年々消耗の度合いを深めているように見える。

事ここに至って、コネ入社を公言して復活させる企業も現れた。何を前時代的な、と私も思う。しかし、企業の言い分としては、選抜にかかるコストを抑えることができ、その能力や資質も紹介者によって保証されているこの形式にメリットがある、となる。

大学別の選抜も同様だろう。極端な話、旧帝大と早慶からしか学生を取らない企業はある。

潜在母数や人材の多様性を思えば、デメリットの大きそうな選抜だ。しかし、これらの学校に入るためには一定水準の学力や、努力を継続できる資質が必要と考えられるため、それをもって選抜プロセスの代替とするのである。たとえそれが大学入学時の、数年前の数値だったとしてもだ。

デメリットも批判も多いこうした形態をとり続ける、あるいは復活させる企業があるのは、そこに利得があるからだ。

インターネットも同じことである。フラットであることはよいことだ。理屈の上ではそうなる。でも、そのフラットさが、自分にとって価値のない情報ばかりに囲まれる状況を生み、価値ある情報への到達コストを上げ、コミュニケーション上のフリクションを増大させる。

それを昇華した先に到達できる高次元な活動があるのだろうが、そんなしんどいことをするよりは、好きな情報と価値観が似た仲間だけが見える、傷つかない居心地のよい空間を求めるほうが自然だ。それがＳＮＳであり、その先にメタバースがある。

SNS展開に失敗したグーグルはVRよりAR志向?

グーグルはフラットなインターネットの支配者であったが、SNSでのビジネス展開には失敗している。ウェブからSNSへ移行した利用者が、さらにメタバースへの道をたどり、そこに多くの時間を費やすのであれば、是が非でも奪いにいかなければならない市場である。

グーグルはインターネット文化の先駆者であり、リアルビジネスにも深く食い込んでいる企業でもあるため、そのメリットを引き出しつつメタバースの果実ももぎ取りたい。

したがって、それはメタバースよりは、リアルに寄ったARを志向するものになる。ミラーワールドの方向だ。この点は、現状でリアルでのビジネスから大きな収益を上げているわけではないエピックなどとは、決定的に異なる。

エピックの場合は、リアルやミラーワールドでグーグルと伍して戦うことは無理だ。その決着はもうついている。だから、リアルとは異なるメタバースに進出するしかない。

グーグルはメタバースもミラーワールドも選べる位置にいるので選択肢は広いが、先に述べた理由から、よりミラーワールドを志向するだろう。メタバースには乗り遅れており、すでに先行者利得を独占するチャンスは失われつつあることも、これを後押しする。

グーグルの戦略を端的に表すのは、グーグルグラスである。スマートグラスに分類される表示端末だ。

スマートグラスとは、端的に言えば情報化されたメガネである。通常、私たちがメガネをかけて見る視野の中に、情報が表示される。ＣＰＵとメモリ、カメラ、マイク、各種センサなどを備えているので、将来的にはスマートフォンを置き換えるポテンシャルがある。

スマートフォンはあくまで手に持って使うものであって、意識せずにふだんの視野と、コンピュータが表示する情報が融合されているとは言いがたい。リアルとサイバー空間の融合を本当に実現し、ふだんの視野の中で、目に見えるものの説明や商品価格の表示、危険な車や自転車の警告を見せるのであれば、メガネやコンタクトレンズが最も自然な形である。

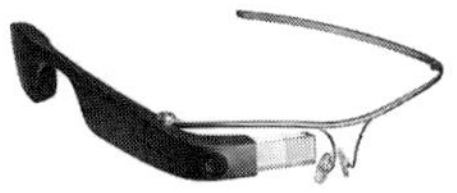
グーグルグラス
https://www.nttdocomo.co.jp/biz/product/xr/googleglass/

コンタクトレンズ型の表示端末は、最近ではスマートＣＬなどと呼ばれ、日本でもメニコンなどが積極的に研究開発を行っている。

ただし、コンタクトレンズ型はそれ自体にプロセッサを持たせることは難しいので、スマートフォンやＰＣなど何らかの「母艦」が必要になる。外部機器との接続性を考慮しても、今のところスマートフォンを代替する機器の本命はスマートグラスである。

グーグルがメタバースに取り組む意義は薄い？

似ているようでも、VRヘッドセットとは到達目標が違うことに注意して欲しい。VRヘッドセットはミラーワールド的なコンテンツを作ることもできるが、メタバースとして一から世界を作ることもできる。そして、今イノベーターたちが開発、実装しつつあるコンテンツは、メタバースに属するものが多い。

反対に、スマートグラスはその性質上、リアルの風景に情報を重ねて表示する形態しか取りようがない。ARなのである。そう、グーグルが次に作りたいプラットフォームは、リアルの層に、デジタル情報の層を載せたARである。これが、グーグルが最もその既存資産と既存技術を活かすことができる次世代プラットフォームのあり方だ。

リアルに強く紐付くことは、リアルのコミュニケーションやビジネスを強く後押しする反面、リアルとの関係を絶ち、自分の好きな世界を構築したいニーズとは相反することになる。

実際、グーグルの次世代プラットフォームビジネスはB to B志向を強めている。

グーグルの個人情報保護に対する不信感からグーグルグラスが一般利用者から総スカンを食らい（グーグルグラスにカメラを搭載したことが議論の的になった）、一般消費者向けの製品（B to C）としては発売中止を余儀なくされたことも一因だろう。

　グーグルはこの技術を捨てることはしなかった。その後も開発を継続し、企業向け製品（B to B）として投入した。それは、ロジスティクスや医療、製造の分野に根付きつつある。ちょっと考えただけでも、これらの分野とＡＲの親和性は高そうだ。患者さんと話をしつつ、カルテや疾病情報、投薬履歴などを見ることができたら、診断の精度と生産性は向上する。スマートグラスなしでもこれらのことは行われているが、カルテをひっくり返して時間がかかったり、ディスプレイに集中するあまり患者さんを見なくなる事例もある。

　私はネットワーク屋なので、天井裏に入ったりすることもあるが、その場でマニュアルが読めたらどんなにいいだろうと思うケースはままある。分厚い説明書と懐中電灯を持ってフリーアクセス床に潜ることは不可能ではないが、とんでもなく面倒である。現物に重ねて、視界に説明書を上書きできるＡＲは、産業の生産性も向上させる。

　こうした用途に市場が見込め、かつリアルビジネスとのこれまでの強い結びつきから先行者のポジションを取れるグーグルが、がりがりとメタバースを開拓する意義は乏しい。むしろ、せっかくのアドバンテージを削いでしまうことになるだろう。

　だから、グーグルの戦略は今後もグーグルグラスやグーグルホームでリアルとサイバーの間隙を埋め、両者を融合する方向でデザインされることになる。その場合、メタバースへのシフトが急速に進行することがリスクだが、メタバースで必要不可欠なデータセンタをおさえることでヘッジをはかるだろう。データセンタが提供する処理能力と記憶能力は、シナリオがメタバース側に転んでも、ミラーワールド側に転んでも求められるものだからだ。

Ⅲ　アップル——GAFAMの中で最もメタバースから遠い企業

日本企業とは異なる「ものづくり」の思想

アップルはGAFAMの中で、最もメタバースから遠い企業である。年間売上高2619億ドル（28兆8090億円）、純利益552億ドル（6兆720億円）は、GAFAMの中でも頂点に近い場所だ。だが、その収益構造は異質で、アイフォーン、アイパッド（iPad）、マック（Mac）、周辺機器の売上で80％以上を占める。純然たるものづくり企業なのである。

ただし、日本が考える「ものづくり企業」とも少し異なる。過去に「メイドインジャパン」という言葉があった。日本で作られた製品は精度が高いというブランド、もしくは幻想のことだ。

それに対してアップルの価値は、「デザインバイアップル」にある。消費者はアップルがデザインしたことにお金を払うのであって、その製造をアップルが行っている必要はない。アセンブリは台湾のフォックスコンでいいのである。

なお、ここでいうデザインは見てくれだけを意味しない。その製品の背景にある思想も含めた言葉である。

たとえば、ソニーがネットワークウォークマンで採用した「利用者はCDを違法コピーする。だから、とても厳しいガードをかける」や、アップルの「利用者のフェアネスを信じる」もデザインである。利用者はそれを通して製品を体験し、企業の思想に触れる。だから、「デザインがぴんとこない」は、「形がかっこ悪い」のではなく「企業の考え方が自分と合わない」のである。

端末を介さないアップルのビジネスは弱い

言うまでもなく、アップルは端末を通して企業としての思想を浸透させ、利用者の共感を勝ち取ってきた企業である。アップルの製品を持つことで、ふだんの生活が輝き、何の変哲もない1日がストーリーを持ち始める。利用者にそうした期待を抱かせるのがとても上手だ。

違う言い方をすれば、端末を介さないアップルのビジネスは弱い。アイフォーンやマックといった圧倒的な製品を軸に垂直、水平のビジネスが構成されていて、よくも悪くも端末が結節点にある。

だから、アイフォーンの絶妙なアルミ削り出しや、艶《つや》やかなゴリラガラスの質感が伝わりにくいメタバースでは企業価値が半減してしまう。アップルはおそらくメタバースでもブランドであり続けるポテンシャルを持っているだろう。だが、リアルであれば生半可な覚悟と資源では模倣が難しかったそれが、サイバー空間では簡単にコピー可能なものになる。

したがって、アップルが自分からアドバンテージを捨てて積極的にメタバースに移行することはない。近い将来、人々のリアルの暮らしがサイバー空間への融合を余儀なくされたとしても、アップルのそこに対するアプローチはメタバースではなくミラーワールドを志向することになるだろう。

スマートグラス

今までアップル周辺からリークされた情報も、それを裏書きする。何度となく予想され、その予想が外れることで消費者を失望させてきたアップルの次世代ガジェットはスマートグラスだ。

どのスマートフォンメーカーも、次のブレイクスルーではさらに利用者にとって身近な、身体とのつながりが深い端末が脚光を浴びると読んでいる。もちろん、アイフォーンを擁するアップルも例外ではない。

アップルは「スマホの次」の端末として、一時は本命視されたこともあるスマートウォッチの分野でも、アップルウォッチで確固たるブランドを築いている。しかし、スマートウォッチはスマートフォンを代替するには至らなかった。

極めて限定されたサイズ環境下での処理速度や排熱、そして何よりも表示装置の狭隘《きょうあい》が大きな原因である。表示装置は「そこから情報を読み取る」観点からは、大きければ大きいほどよい。

スマートフォンであれば6インチクラスであっても利用者は許容してくれるだろうが、「時計」でそれは無理だ。したがって、スマホを母艦にした便利な子機の域を出ない。今後、表示装置の劇的な技術的飛躍があれば状況は変わるが、それよりメタバースやＡＲが一般化する未来のほうが先だろう。

スマホよりも人に寄り添う端末で、広範囲の表示装置を持ちうるものは、今のところスマートグラスが最有力である。アップルが次の主力製品としてスマートグラスに投資するのは自明と言えば自明なのだ。

これまでに発表されてきたアップルの要素技術を見渡しても、スマートグラスを作りたいのだろうと思う。フェイスブックの節で触れた脳波センサはもとより、指輪型のセンサを使ってジェスチャを読み取り各種の端末を操作する特許や、表情の変化で端末を操作する特許なども持っている。

ＡＲ機能はすでにアイフォーンやアイパッドで利用可能になっている。試したことがある人も多いはずだ。モーションキャプチャで体の動きをトレースしたり、カメラが映し出すリアルの視野にデジタル画像をブレンドすること、実写の自宅に購入予定の家具を仮想的に配置してサイズや色合いを確認することなどができる。

そのための開発者用ツールも積極的に配布しており、スマートグラスをはじめとするＡＲ端末市場が急速に勃興しても、そのときにはアプリケーション市場におけるアップルの影響力が確立されている筋書きになっている。

アイフォーンを母艦に

アップルのスマートグラスは概ね、グーグルグラスを追ったものになると考えられるが、端末市場であまりにも強力なアイフォーンを擁するので、初期世代ではアイフォーンを母艦とした周辺機器として投入されるかもしれない。処理能力も記憶能力も（少なくとも初期段階では）アイフォーンのほうが高度であることが予想されるので、上質な利用者体験を求めるならそのほうが理に適っている。

また、スマートグラスの体験にはアイフォーンが必須であると利用者に納得させることができれば、生活空間がＡＲへ移行して以降もアイフォーンのプレゼンスを保ち続けることができる。

Ⅳ　マイクロソフト――仮想世界への取り組みはミラーワールド路線か？

マイクロソフトの底力

マイクロソフトもアップル同様、リアルが大好きなＩＴ企業だ。

その創業は１９７５年、リアルとサイバー空間の融合はおろか、インターネットの商用利用解禁すらまだ15年先の未来である。ＯＳとインタプリタ（人が書くプログラムを逐次翻訳、実行するソフトウェア）が渾然一体となったパソコン向けのソフトウェアを、カセットテープメディアで配布していたのだから、そのビジネスの軸は確実にリアルにあった。

この会社のすごいところは、コンピューティングにおける何回かのパラダイムシフトを経験して、なお稼げる組織として生き残り続けていることである。

ＣＵＩ（キーボード中心の操作）がＧＵＩ（アイコンとマウスを軸にした操作）になったときも、ＯＳの地位をブラウザが奪ってしまうのではないかと危惧されたときも、ソフトウェアの売り方がパッケージからサブスクリプションに変更されたときも、計算処理を個々のパーソナルコンピュータではなくクラウドで行うようになったときも、なんだかんだと生き残ってきた。

ＯＳがハードウェアの付属品ではなく、ＯＳがむしろコンピューティングの中心であり、ＯＳに合わせてハードウェアの設計を行わせるパラダイムシフトが生じたときには、それを主導する勢力だった。

もっとも、その企業ヒストリーの前半期ではこうしたパラダイムシフトを作り出し、それを乗り越える度に企業規模と売上高を倍増させてきたが、21世紀に入ってからは他社が作り出した潮流に翻弄《ほんろう》され、一時その地位を危うくするも、地力で挽回する展開が目立つ。

　それでも一度作り出した帝国の資産は膨大だ。まさにＯＳは資産ビジネスであって、この半世紀でＭＳ－ＤＯＳやウィンドウズ向けに作られてきたソフトウェアの蓄積を、他社がこれから凌駕することは難しい。デスクトップＰＣやノートＰＣがコンピュータ利用の形態としてある限り、マイクロソフトは一定の存在感を残し続けるだろう。

　マイクロソフトの現時点での収益構造は、何回かの修羅場をくぐって変身を遂げてきた企業であることを誇示するかのように、バランスよく各製品で売上を立てている。

　主力商品であるかのように見えるウィンドウズ（16・2％）はオフィス（Office：25・2％）やアジュール（Azure：クラウドサービス。25・9％）に及ばないが、これはコンシューマゲーム機メーカが赤字覚悟でハードを売り、ゲームソフトで儲けるのと同じである。ウィンドウズというプラットフォームが世界に浸透しているから、高い利ざやでオフィスを売れるのだ。

　アジュールはクラウドサービスのブランドで純度１００％のインターネット利用サービスである。オフィスに関しても、サブスクリプション販売が主流になっている。その後にゲーム（Ｘｂｏｘ）や検索サービス（Ｂｉｎｇ）、ビジネスＳＮＳ（LinkedIn）が続く。

売上高は１２５８億ドル（13兆８３８０億円）、純利益は３９２億ドル（４兆３１２０億円）とＧＡＦＡＭでは控えめな部類に入る（フェイスブックは売上高７０８億ドル〈7兆７８８０億円〉だが純利益は１８５億ドル〈2兆３５０億円〉ある。アマゾンは純利益が１１６億ドル〈1兆２７６０億円〉だが、余計な利益は出さない方針の会社なので単純比較は危険である。アマゾンの売上高は２８０２億ドル〈30兆８２２０億円〉もあるのだ）が、単一の製品やサービスに依存しておらず、そこが強みになっている。

総じて面白みもないが隙もない、倒れない商品構成である。ビジネスに強力な基盤を持つが、ウィンドウズやオフィスはコンシューマにも浸透している。このマイクロソフトが仮想世界と関わるとしたら、その方向性はアップルと同様になる。

ホロレンズ（HoloLens）

マイクロソフトはアップルと違って利用者が直接手に取るリアルなガジェットをメインで商っているわけではないが、リアルに根ざして創業し、リアルビジネスで使われる情報システムの中核部分に深く食い込むことに成功している。ミッションクリティカルな、それが止まってしまえば社会が大混乱に陥るような製品を、ＧＡＦＡＭの中で一番握っている企業である。焦ってそれを手放す必要はどこにもない。

だから、マイクロソフトのアプローチも、ＡＲが主体である。現業に強いのだ。今蜜月関係を結んでいる優秀なパートナーとともに、次世代プラットフォームを構築していこうと考えるならば、立脚点がないメタバースよりＡＲのほうがずっと上手に製品化することができ、顧客も喜ぶ。

　実際にマイクロソフトはｘＲでビジネスをする相手はまず企業と定め、しれっと製品化を済ませている。ホロレンズ（HoloLens）である。ちょっと無骨なメガネ型で、ＰＣなどなしに独立して使うことができ、基本的には手によるジェスチャのみで作業が完結するデバイスだ。代替わりして今はホロレンズ２になっている。グーグルやアップルがコンシューマ向けのＡＲデバイスで苦しむ中、企業向けに着々と地歩を固めているのだ。

マイクロソフト　ホロレンズ２（HoloLens2）
https://www.microsoft.com/ja-jp/hololens

　ところで、マイクロソフトはホロレンズをＡＲデバイスとは謳っていない。ＭＲ（Mixed Reality：複合現実）と呼んでいる。確かにその筐体《きょうたい》を観察しても、何やらＶＲヘッドセットとスマートグラスの中間的な形態である。

VRの場合は、視界に映るすべてをコンピュータが構成した映像で見せるので、高いコンピューティング能力が必要になり、筐体がごつくなる。外界を見る必要はないので、利用者の目は覆われている。

ARは逆に利用者の目に入る基本的な情報は、ふつうの視覚情報である。裸眼で見るのと同じ情報を使うのだ。あくまでもリアルのブツが主体であり、そこへ説明情報や価格情報を重ねて表示する。だから筐体はメガネ状でなければまずいし、メガネとして認知されるなら重たくするわけにもいかない。

リアルな環境下で使うのであれば、VRヘッドセットと違って一日中装着する使い方が標準になるから、その意味でも軽くしなければならない。幸い説明情報などの表示はさほどの計算能力を要求しないので、スマートグラス単体や母艦としてのスマートフォンで提供することができる。

MRはこの中間なのである。MRは（マイクロソフトの定義では）リアルに立脚しつつも、単にそこへマニュアルや商品の値段を表示するだけでなく、たとえばカーテンの色が今日の気分に合わないので、リアルのカーテンに覆い被せる形でバーチャルなカーテンを表示しようといった使い方をする。

洋服もそうだ。いまいち冴えないとか、新しい洋服を買うお金がないときに、本物の洋服の挙動に上書きする形でバーチャルな洋服を表示する。自分が見ているぶんには新調の衣装に見えるので、気分が上がるだろう。他人から見たら同じ着古しのままだが、そこも（社会に認めてもらえれば）技術的には同期させることができる。

カーテンや衣装の例は卑近すぎて、高額なホロレンズ（約40万円：業務用だから高いのだ）を買う理由としては弱すぎるが、遠隔医療や建設、製造の現場で活用すると業務の可能性が増し、高い生産性やイノベーションを生み出すことになる。まさにマイクロソフトの昔からのパートナーにぴったりのｘＲソリューションである。

ミラーワールド

残念ながら用語としてのＭＲはマイクロソフトが企図したほどには広まらなかったが、「ミラーワールド」という概念は（マイクロソフトが言う）ＭＲそのものだろう。

リアルとそっくりの（つまり、リアルといっしょで、利用者にとって不都合な現実も含めて再現された）デジタルツインがあるわけだ。デジタルツインはリアルとそっくりなだけで、リアルとは切り離された世界だが、ミラーワールドではリアルとデジタルツインがリンクする。リアルで何かアクションを起こせばそれはデジタルツインでも再現され、デジタルツインで作業をすればリアルにそれが波及する。

エンターテインメントとして面白いかどうかはわからず、むしろ危険でもあるが、医療や製造などの業界と密接にリンクしたマイクロソフトにとっては、理想の仮想世界のあり方だろう。

Ｘｂｏｘなどメタバースに親和性の高い製品を持ってはいるが、マイクロソフトの仮想世界へのアプローチは、基本的にはミラーワールド路線で進むはずである。

Ｖ　アマゾン――メタバースでもその手のひらの上に

現物と情報をつなぐアマゾン

アマゾンは相変わらず我が道を行っている。本屋から始まったアマゾンは、その後総合小売りになり、現在では値段のつきそうなものは何でも売るビジネスを展開している。それはリアルでもサイバー空間でも変わらない。その総合性が、独自路線を突き進む余裕と自信をこの企業に与えている。世の中がミラーワールドに振れようが、多くの人がメタバースに潜ろうが、アマゾンの商いはあるのだ。

ＡＲを活用した世界ではモノと情報のリンクが活発になる。今だってそうなのだがもう一歩進んで、実態としてモノが店頭に並んでいても、サイバー空間に登録がなければＡＲグラスに映らないような社会が到来するだろう。

現物と情報をストレスなくつなぐことに、アマゾンほど腐心してきた企業はない。サイバー空間でのクリックから2時間で自宅にモノが到着するなど、10年前には正気の沙汰とは思えなかったが、今では社会を構成する不可欠な要素になっている。

アマゾンは、グーグルやアップルほど冴えた感じはしないけれど、現実に即したコスパのよいガジェットを販売することに長けている。スマートグラスについても、「エコーフレーム（Echo Frames）」をすでに（実験的な商品として）市場に投入している。

エコーフレームはアマゾンらしさがストレートに表出している端末だ。スマートグラスといえば、開発者はまず何よりも映像で利用者に衝撃を与えることを好むが、アマゾンは音声をインタフェースの土台に据えた。確かに、今の時点で人間とサイバー空間の接点をウェアラブル端末に仕込むなら、音声はコストパフォーマンスのよい現実的な選択肢である。同じく、音声をインタフェースとするホームＡＩの「アレクサ（Alexa）」とリンクして、ここを軸にＡＲとの関係を作り上げていくことだろう。

人が住む社会の中で、どんなにサイバー空間が重要度を増しても、今のところ食べて、排泄することは仮想現実内では実行できない。対面のコミュニケーションも残り続けるだろう。その、どうにもならないリアルのモノを受注し、物流網を使って動かし、利用者まで届ける経路をアマゾンはおさえている。ミラーワールドに強い会社なのである。依然旺盛な投資意欲は、ミラーワールドの時代になってもこの企業が変わらずテックジャイアントの座を占め続けることを予測させる。

仮に社会の趨勢《すうせい》がメタバースを志向したとしても、そこでもアマゾンは戦うだろう。

メタバースはアマゾンのクラウド上に？

アマゾンが提供するクラウドサービス（ＡＷＳ）は、今や世界を覆っている。アマゾンが提供するクラウドは、最も有名なＥＣ２（仮想サーバ）、Ｓ３（オンラインストレージ）をはじめとして、およそ一般的な管理者が思いつく限りのおびただしいメニューを揃えている。２８０２億ドル（30兆８２２０億円）という彼らの莫大な売上のうち、オンラインストアが占めるのは半分ほどで、ＡＷＳが１割以上の貢献を示すようになっている。

「計算資源をたくさん使う一企業が、ピークシーズン以外に余剰の計算能力を売る」以外の何ものでもなかったAWSは、世界最大のクラウドに育った。クラウドサービスが生き残るために最初にしなければならないことは、まず速やかにでかくすることだ。生半可な大きさではなく世界一を取れるくらいに。

口で言うのは易しいが、現実には不可能なほどに困難なこのミッションを、アマゾンは他の余計なことには目もくれずに達成した。

2021年時点でアマゾンのクラウドサービスの世界シェアは32%（前年も32%）、エンタープライズビジネスと巨大なパイプを持ち、豊富なキャッシュで猛追しているマイクロソフトでさえ19%（前年は17%）であることを考えると、いかに大きな数値であるかがわかる。

大きな計算資源を使うサービス（メタバースのことだ）をこれから作る企業があるとして、AWSとまったく縁なく事業を組み立てることは難しいだろう。事実、アマゾンは「AWSゲームテック（AWS Game Tech）」という、メタバースと極めて相性がいいメニューも用意している。

アマゾンはことさらメタバースを謳って事業展開することはないかもしれない。しかし、ミラーワールドで私たちが商品をオーダーするとき、無意識のうちにアマゾンのARを使っていたり、メタバースを楽しむときに、そのメタバースを動かすエンジンが人知れずアマゾンのクラウドサービス上で稼働している世界を望んでいる。彼らの願いが満額回答で報いられる可能性は、決して低くない。

日本企業はメタバースで生き残れるか?

オタク世界の支配言語は日本語

翻って、我らが日本企業はどうか。

仮想世界を巡る需要はメタバースとミラーワールドに二分していくだろう。テックジャイアントと呼ばれる巨大プレイヤの多くは、これまでに積み上げてきた資産を活かすためにミラーワールドを志向することが予想される。規模の大きさも、ミラーワールドでは有利に働く。どれだけのデータを確保しているかが、ミラーワールドの範囲と精度に直接結びつくからだ。

新興企業はミラーワールドではテックジャイアントに太刀打ちできない。また、ミラーワールドにさほどの魅力を感じていない。今から好んで仮想世界で一旗揚げようなどと思うアントレプレナーは、まったく新しい世界を構築する野望を持っているか、もともとリアルが嫌いなギークである。

私はマジョリティが楽しむミラーワールドと、オタク好みのメタバースがそれぞれに立ち上がり、やがてゆっくりとメタバースに参加人口が移動していくと考えているが、しばらくは両立の時期が続くだろう。

この潮流の中で日本企業が存在感を示すとしたら、メタバースがよいと思うのである。サブカルチャーで高い評価を得て、独特なプレゼンスを確立している日本はメタバースでブランドたり得る（今のところは。各国が急速に追い上げている）。

何せオタク世界の支配言語は日本語なのだ。世界のオタクは最前線に触れたいとき、まず日本語の情報にアクセスする。

たとえば、アバターとして使われることを想定した３Ｄモデルのファイル形式で、現時点で最も強い影響力を持っているのはＶＲＭだと思う。これは日本のドワンゴが主導して作ったものだ。ＶＲＭコンソーシアムの会員にも、日本企業がずらりとその名を連ねる。ＶＲＭでは単にモデルとしての形状情報以外に、「アバターに人格を与えることの許諾範囲」などが記録される。作成したモデルを、他の人が声や動作を当てて動画配信するなど、作者以外

リアリティ（REALITY）のメタバースイメージ
https://jp.techcrunch.com/2021/08/06/gree-reality-metaverse/

がアバターとして使っていいかどうか決めるのである。魂の固有性にこだわるのだ。いかにも「日本が作った」仕様になっている。

また、データの構造も、いわゆるアニメ絵を表現するトゥーンレンダリングに向いている。

こうした現況に対し、海外の利用者から「リアルなキャラクターを扱いたい。アニメ的にデフォルメされた表情ではなく、人間の表情を再現するような使い方をしたい」という声が寄せられているとの報道もある。どこまでも日本仕様である（https://www.4gamer.net/games/210/G021014/20190927038/）。

右の図はグリーの子会社であるリアリティ（REALITY）のメタバースイメージである。ＧＡＦＡＭなどが示すメタバースのイメージと比較すると、やはりアニメ色が強いのが見て取れる。リアリティはこれまで個人がＶチューバーになるための素材やアプリケーションなどで成功してきた企業だ。それを足がかりにメタバースに乗り出すのである。１００億円規模の投資を行い、数億人の利用者獲得を目指すとしている。それが机上の空論でないほどには日本のサブカルチャーは愛されており、先行もしている。

ＧＡＦＡＭの一部ではアニメアバターに寄せようとする動きも見られるが、こうした仮想現実を作るのは日本企業のほうがまだ上手だ。

ミラーワールド志向の行政

やや残念に思うのは、大きな予算を投じやすい行政公認の仮想世界への取り組みが、ミラーワールドに偏っているように見えることだ。たとえば、簡単にアクセスできるところでは、「バーチャル渋谷」や「池袋ミラーワールド」などがある。どちらも実際の渋谷、池袋に即した街並みを仮想世界に構築し、そこを擬似的に散策したり、店舗を冷やかしたり、商品を購入したりすることができる。

ただ、鳴り物入りでスタートしたが、実態としては閑古鳥が鳴いている。見た目が20年前のゲームみたいという事実に加えて、リアルとの

バーチャル渋谷

池袋ミラーワールド

整合性を重視した結果、リアルの不便さを仮想世界に持ち込んでしまっていることも原因と思われる。時間対効果を極めて重視する現代の利用者とは、需要の不整合が生じている。リアルそっくりの双子世界を仮想世界で再現することは、気象シミュレーションのような分野では巨大な価値を生むが、単にエンターテインメントやショッピングを提供したいのであれば、あまり意味がない。利用者はリアルではできないような体験を仮想世界に求めている。

政策決定者の気持ちはわかるのである。いきなりリアルとは異なる世界観を持つメタバースを立ち上げるのは、周囲の理解を得にくい。ミラーワールドであれば、「現実をそのまま、デジタルに移行します」とでも言っておけば、リテラシがまったくない人にも説明することが可能だ。

まして、コロナ禍の影響を受けている期間では、「リアルの店舗では集客しにくいので、バーチャルで」と話を進めることに一定の説得力がある。

だが、ミラーワールドを成功させる鍵は、情報の質と量にある。リアルと同じ建造物、リアルと同じ体験を目指すからこそ、中途半端な作りでは粗が目立ってしまう。

「現実にあるエリアを再現するのだから、渋谷や池袋や新宿が参画しているプロジェクトが最も強いのでは？」と思うかもしれない。しかし、データの収集と分析に長けた巨人を甘く見るのは禁物である。

ローカルメディアはなぜ衰退したか？

インターネットの初期において、ローカルメディアの時代が高らかに宣言された。全国メディアの影に隠れて日の目を見なかった地方メディアが、全国メディアと同等の発信力を得る機会だったからである。

顧客にさえリーチできれば、ローカルに根ざして生きる人々が本当に求める身近な情報を最も適切に届けることができるのはローカルメディアであり、ローカルゆえに広告なども正しく刺さるのだと考えられた。

しかし、現状を見渡せば明らかなように、ローカルメディアは没落した。テックジャイアントはローカルな情報もくまなくさらっており、渾然一体としたそれを利用者が望む形に加工して提供する技術も巧みだった。

広告すらローカルメディアに寄与しなかった。ローカルメディアに注目が集まれば、広告出稿が増えるはずだった。しかも全国メディアと違って、地域にターゲットを絞った出稿である。マッチングの度合いは高いと考えられていた。

　でも、テックジャイアントの広告は、地域ごとにセグメントを区切るような雑なものではなかった。年齢、性別、趣味嗜好……その他あらゆるデータを活用して、カスタマイズした効果的な広告を提供することが可能だった。どんなクライアントもテックジャイアントのほうに出稿したがった。

地の利があってもテックジャイアントには敵わない

　同じことがミラーワールドでも起こるだろうと考えている。バーチャル渋谷も池袋ミラーワールドもＶＲ新宿もそれぞれに頑張っているが、リアルな地域と連携しているからといって、それだけで勝てるほどデータの世界は容易ではない。

　グーグルはかつてアレクサンドリア図書館になることを望むかのように、すべてのドキュメントをデジタル化したがった。

　それが現在では複数のテックジャイアントが、あらゆるデータをデジタル化したがっている。風の揺らぎも、小鳥のさえずりも、初夏の木漏れ日も、標本化して量子化して符号化すればすべてはデジタルデータになる。かつてできなかったこと、空想の産物に過ぎなかったことが、デジタル技術の洗練によって、手の届くところに来ている。

彼らは圧倒的な物量にものを言わせて、渋谷も池袋も新宿もデジタル化するだろう。自分の国の自分の地域だから、だけでは勝てない。「自分の体は自分が一番よく知っている」はずなのに、ＡＩの医療診断に勝てないのと同じだ。

ミラーワールドも悪くはないし、人の益にもなるものだが、テックジャイアントを相手に気の遠くなるような退却戦を戦うくらいなら、メタバースのほうが勝機があると思うのだ。

日本が世界に存在感を示せる産業分野

次ページの図は世界市場でのゲームシリーズ総収益ランキングである。これだけ日本が存在感を示す産業分野が今どのくらいあるだろうか。

ゲームやアニメの世界観をベースにする、リアルとは違うもう一つの都合のいい世界…メタバースこそ、日本が無限大の集積を持つ勝負分野である。

サブカルチャーを正面から後押しするのは、行政や立法には難しいかもしれない。サブカルチャーはオタクの身も蓋もないリビドーも込みで、魅力を形成する。

たとえば、「君の名は。」から生じたコンテンツツーリズムでは、行政がサブカルチャーか

順位	ゲームシリーズ名	開　発	リリース年	総収益
1	ポケモン	任天堂(日本)	1996年	900億ドル
2	マリオ	任天堂(日本)	1981年	302億5000万ドル
3	コール オブ デューティ	アクティビジョン	2003年	170億ドル
4	Wii	任天堂(日本)	2006年	148億800万ドル
5	パックマン	バンダイナムコエンターテインメント(日本)	1980年	141億700万ドル
6	スペースインベーダー	タイトー(日本)	1978年	139億3000万ドル
7	アラド戦記	ネクソン	2005年	118億ドル
8	ストリートファイター	カプコン(日本)	1987年	112億7900万ドル
9	ファイナルファンタジー	スクウェア・エニックス(日本)	1987年	106億5600万ドル
10	ウォークラフト	ブリザード・エンターテイメント	1994年	106億2700万ドル
11	クロスファイア	スマイルゲート	2007年	106億ドル
12	FIFA	エレクトロニック・アーツ	1993年	101億8900万ドル
13	グランド・セフト・オート	ロックスター・ゲームス	1997年	93億9100万ドル
14	リネージュ	エヌ・シー・ソフト	1998年	93億1900万ドル
15	リーグ・オブ・レジェンド	ライアットゲームズ	2009年	83億9800万ドル

https://finders.me/articles.php?id=1840を基に作成

ゲームシリーズ歴代総収益ベスト15

らお行儀のよい聞こえのいい箇所だけをつまんで利用を試み、急速に没落させた。個々のメタバースではねちゃねちゃとした人間のどうしようもない欲望も許容しないと、人が集まるようなものは作れないだろう。

後押しが難しければ、開こうとする芽を踏み潰さないだけでもいい。それだけで日本のメタバースはいい戦いができるだろう。

その意味で、国土交通省のプロジェクトプラトー（Project PLATEAU）はいい取り組みだと考える。全国50都市の精密な3Dデータをオープンデータとして提供するプロジェクトだ。

おそらくはデジタルツインをやりたいのだろうが、目的を縛っていないので、データを収集・公開した者が想像もしなかったコンテンツを作るクリエイタが必ず現れるだろう。今この瞬間にも、早速このデータを使って都市を丸める映像や、巨大な初音ミクが都市上を練り歩く映像が次々に公開されている。

プロジェクトプラトー
https://www.mlit.go.jp/plateau/

エピローグ
――メタバースの平等は、フィルターバブルにくるまれた人が見る幻想としての平等

「生きているということは
誰かに知ってもらって
覚えていてもらうことだ」
――『葬送のフリーレン』

「リアル」と「サイバー空間」

メタバースについて考えてきました。新しい言葉でもあり、使う人によって意味が異なる言葉でもあります。読み進めるうちに、混乱した方もいるでしょう。最後にここで整理しておきたいと思います。

まず、現実と仮想の融合という大テーマがあります。「現実」と「仮想」は意味の広い言

葉なので、本書では「リアル」と「サイバー空間」を、導入部分と慣習的な用語は別として、極力使ってきました。

リアルは肉体を伴うこの現実のことです。サイバー空間はインターネットのことですが、インターネット上に展開されるウェブやＳＮＳや各種システムなどを包含しています。

このリアルとサイバー空間がくっつきつつあるのは、納得していただけると思います。コンビニＡＴＭでは、スマホの操作だけでお金が引き出せますし、オタクにとっての鬼門であるアパレルショップでの試着はＡＲで実際に着替えなくてもよくなりました！　というか、もう服はいらなくなるかもしれません。スマートグラスを使えば、自分がどんな服を着ていても、別の服を着ているように表示することが可能です。

今のところ、それで視覚的に満たされるのは自分だけですが、データの標準化とシステムの相互運用性が高まれば、自分を見ている相手のスマートグラスにもその衣装が映し出されます。たとえ自分がステテコを着ていたり、全裸で歩いていてもです！

このようにリアルとサイバー空間の融合が現実のものになってくると、そのグランドデザインをどう描くかが重要になってきます。現実のグランドデザインは実に長い時間をかけて形作られてきました。三権分立やマスコミによる権力の監視、都市設計、地域での暮らしのルールなどです。

リアルとサイバー空間が融合した新しい世界では、これらの多くが未着手で、今参入すれば人間が長い歴史の中で培ってきた構造を、ほとんど自分たちだけの手で作り上げ、そこで強い影響力を得たり、大きな利潤を獲得したりすることが可能です。私たち一般利用者から見れば神にも等しい力を持っているあのフェイスブックですら、アップルが個人情報保護のルールを厳格化したことでその広告ビジネスに大打撃を受けました。それほど事態は流動的だと言えます。だから、テックジャイアントと呼ばれる企業を筆頭に多数のプレイヤが競って新しい世界で重要な地位を占めようと競争を繰り広げています。

リアルに寄せると、デジタルツイン、ミラーワールド

それに際しての基本的な潮流が2つあります。リアルに寄せるか、サイバー空間を充実させるかです。

まず、リアルに寄せる構想で出てくるのが、デジタルツインやミラーワールドです。

デジタルツインは、リアルを模倣したそっくりそのままの世界をサイバー空間内に作るものです。本書では疑似現実という言葉も使いました。

そっくりそのままですが、リアルとは切り離されているので、何をしても構いません。極端な話、ここに核兵器を落としたらどうなるだろうかとか、パンデミックがひどいことになったときの予想をしようといった用途に使うこともできます。

研究目的であればとても面白い使い道ですが、一般消費者にとっては直接役に立つ部分は少ないかもしれません。

そこで、ミラーワールドが出てきます。ミラーワールドはリアルを模倣したデジタルツインを作りますが、デジタルツインは切り離されておらず、リアルと結びついてリアルに影響を及ぼします。

デジタルツインの中で宿題をやったら、〇×をつけた結果がリアルの教室で先生から返却されるかもしれませんし、先ほどの例のように、デジタルツインで仮想の洋服を作って着用したら、リアルの世界でもスマートグラスを通して、その服を実際に着ているように周囲の人に認知されるかもしれません。

そうすると、リアルで身につける服はどんなものでもよくなるでしょう（全裸でもいいかもしれませんが、スマートグラスを外した人に見られると危険です）。アパレルに従事する人は職を失ってしまうかもしれませんが、デジタルツインで仮想衣服をデザインする仕事は新しく創出されます。

これは、「職はなくならないが、別のスキルが必要になる」ＡＩ・データサイエンス時代の職能事情にもリンクする話です。

夢物語に聞こえるでしょうか。しかし、私たちは技術を使って相当なことを実現してきました。たとえば、地震波よりも電波のほうが速いことを使って、地震が揺れ始める前に警報を鳴らすシステムを私たちはすでに実装しています。慣れているから「なーんだ」と思ってしまうしくみですが、あれは一種の未来予知です。技術がそれを可能にしたのです。

ここで使っているデジタルツインやミラーワールドの定義ですら、まだ世界的に確定しているとは言えません。他の研究者や企業はまた別の定義を用いていることもあります。活気に満ちた混沌が支配する、新しい場所なのです。

サイバー空間に重きをおくメタバース

２つめの潮流は、サイバー空間に重きをおいたものです。リアルとは切り離して、リアルとは違うまったく新しい世界を作ります。本書ではこれをメタバースと呼びました。

メタバースもまだまだ議論百出の分野で、使い方によっては巨大なマネタイズにもつながりますから、色々なプレイヤが自分のビジネスに都合のいい形で「メタバース」という語を使っています。本書での使い方は、状況をすっきりさせるために用いた、あくまで私の定義だと考えてください。

デジタルツインもサイバー空間内に新しい世界を作りましたが、根本の発想はリアルの模倣です。コピーしたいのです。

それに対して、メタバースはリアルの模倣にこだわりません。重力が煩わしいなと思ったら、重力をカットしてしまえるのがメタバースです。自分の性別に違和感があるなと感じていたら、違う性別のアバターを使って世界に入っていけるのがメタバースです。足が不自由でも、大地を駆け巡り大空を飛べるのがメタバースです。リアルの模倣にこだわらないため、本書では疑似現実に対して仮想現実という言葉も使いました。

リアルとは違う理で世界を楽しんだり、息抜きをしたりすることは、ゲームやSNSで長く行われてきました。メタバースの要素技術や先行事例でフォートナイトやどうぶつの森などのゲームが多く登場するのは、必然と言えます。

「リアルの中から、自分に都合のよい部分だけを抽出した世界」というと、後ろ向きに聞こえるかもしれません。リアルがうまくいかないので、仮想現実に逃げ込んでいるような印象になります。

　しかし、仮想現実内での体験が質・量ともにリアルに比肩しうるものになり、そこでリアルと同密度で人と交流できるようになり、教育を受け、リアルでの生活の糧《かて》になるほどの収入を得る手段も存在するのであれば、それは逃げたことにはならないかもしれません。

　居心地のよい国家を求めて移民する人がいるように、リアルより自分に向いている世界を求めてメタバースに移住するのです。今は生理的に認められない人が多いでしょうが、それを言うならインターネットに多くの時間を費やすことさえ、その前にはテレビを視聴することさえ忌避した人々はたくさんいました。

　リアルより人生の幅が広がる可能性すらあります。物理法則に支配されたリアルの世界では、人間が生身で空を飛ぶことはどうやっても無理があります。でも、メタバースでは人が空を飛ぶ世界も作ることができます。空を飛ぶことこそが人生の価値そのもの、と言えるほど空に焦がれる人がいたら、ひょっとしたらメタバースで暮らしたほうが幸せかもしれません。現実からの逃避や補完ではなく、今よりよい世界を作るための手段として活用したいと考えています。

メタバースとＶＲ技術

メタバースにアクセスする手段は、別にＶＲである必要はありません。今までのインターネットへのアクセス同様、スマートフォンやＰＣを使ってもよいと思います。

しかし、メタバースはその性質上、リアルで飽き足らなくなった人たちが主たる利用者になる空間と考えられます。フィルターバブルによって形成された、自分の居心地のために最適化された空間です。

それを実現するためには、ＶＲ技術を使うのが手っ取り早いでしょう。その世界により没入し、手触りや香りも含めて体験の質を高める装置です。ですから、ＶＲ技術はメタバースを構成する必須要素ではありませんが、重要なピースであり続けるでしょう。

ミラーワールドがスマートグラスを使うのに対して、メタバースではＶＲヘッドセットが重要な役割を果たすのが対照的です。でも、発想の本質を考慮すれば、それが必然であることがわかります。

ミラーワールドはリアルと関わるのが原義ですから、そのための装置はリアルが見えるものでなくてはなりません。だから、スマートグラスになります。

メタバースはリアルと切り離した完全な別世界を志向するので、むしろリアルの風景は見えないに越したことはありません。突き詰めれば視界を遮るＶＲヘッドセットが最適です（もちろんＶＲでも、必要に応じてシースルーやパススルーと呼ばれる機能を使って、リアルの様子を見ることは可能です）。

ＶＲヘッドセットがメタバースにアクセスするときのスタンダードな端末になるかどうかは、まだわかりません。スタンドアロンが主流になり、軽量化されたとはいえ、ＶＲヘッドセットは大きく、重く、閉塞感があります。ゲームに人生をかけるようなプロのゲーマーでさえ、あれをかぶり続ければ疲れます。スマホと同等の生活必需品になるには、あと一段階のブレイクスルーが必要です。

メタバースは生活全般の包摂を目指す

重ねての記述になりますが、メタバースは「自分に優しい世界」「都合のよい世界」を提供するサービスです。そんなにそれを欲している人がいるのか？　と疑問に思われる方は、きっとリアルで活躍されている方でしょう。

でも残念なことに、リアルでの生活に違和感や閉塞感を持ったり、リアルとは別の世界で活躍したいと考えている潜在的な利用者は多数に上ると考えられます。属性の同じ者をフィルターバブルの中に囲い込み、それによって生じるフリクションのない空間で「快」を提供するサービスであるＳＮＳが隆盛を極めていることからも、それは説明できます。

それならＳＮＳでいいではないかと指摘することもできるでしょう。しかし、今のところＳＮＳは生活の一部でしかありません。ＳＮＳが好きな人は（授業中でもツイートをやめられないツイ廃さんはたくさんいます）もっともっとＳＮＳで時間を消費したいと考えているでしょう。ＳＮＳで人は情報を共有しましたが、メタバースでは体験を共有することになります。ＳＮＳを楽しめる人には、サービスへの強い誘因です。

実際にＳＮＳに時間を使いすぎて、生活のすべを失くしてしまう人もいますが、多くの人はバランス感覚があるのでリアルに戻って勉強や仕事をして、能力を獲得し賃金を得ます。

でも、それらが仮想現実で完結するのであれば、そこに魅力を見いだし勉強や仕事もそれ以外の楽しみも仮想現実でこなしてしまう利用者は増大するでしょう。すでに友だちと、リアルではなく、ゲーム内などで「集まる」ことは利用者の中では一般化しつつありますが、それが拡大するわけです。

もっと極端なことを言えば、メタバースを提供する企業に食わせてもらってもいいのです。

たとえば、ＡＩの議論をするとき、よく「ＡＩに仕事を奪われる」というテーマが出てきます。あれは何がまずいのでしょうか？

ぼくは子どものころ、「将来は機械やコンピュータがいやなことはやってくれるよ。好きなことや楽しいことで生きていける未来があるよ」といったメッセージに触れていました。仕事なんてほとんどの人にとって面倒なものでしょうし、少なくとも積極的に大喜びで取り組むものではないと思います。でも、いざＡＩが仕事を肩代わりしてくれるようになると「仕事を奪われる」と恐怖するのです。

人のアイデンティティと仕事の関係は脇に置くとして、仕事を奪われても、収入を奪われなければ、多くの人は満足すると思います。ＡＩ企業やメタバース企業にがんがん仕事を奪ってもらって、そこで得た収益を仕事を奪われた人に分配する未来があってもいいと思います。富の再分配機能を営利企業が担っても別に構いません。実現性はともかくとして、しこたま儲けたメタバース企業にベーシックインカムを構築してもらうのもアリでしょう。

メタバースは最初はゲームとコミュニケーションの形をとってスタートするでしょうが、最終的には生活全般の包摂を目指すことになります。利用者が滞在してくれる時間の最大化は企業にとってビジネスチャンスの増大以外の何ものでもありませんし、そこで暮らす利用者は自分に最適化された空間の中でリアルよりずっと快適に過ごせます。ウィンウィンなのです。

本当は不平等なのに、平等に見えるしくみ

ただし、「メタバースであれば、リアルでは挫折した機会や資源の平等な再配分が可能になる」と論ずる意見には、私は首肯しません。支配の構造が変わるだけで、極めて複雑に作り込まれたその世界のバックヤードが、一般利用者には知覚できないところで知らない利潤を生み、その世界を知悉《ちしつ》し全体を俯瞰できる立場の人間の懐に入る流れは、リアルと変わらず再生産されるでしょう。

リアルで自分に都合がいいように法律を書き換えるのは大変ですが、勃興期のメタバースに先駆者として乗り込めば簡単に実現可能です。アップルがアップストアで30％のみかじめ料を取るのは社会の合意があったからではありません。先にそこにたどり着き、先に始めたからです。メタバースの覇権を奪うのがＧＡＦＡＭかどうかはまだわかりませんが、テックジャイアントが有利なのは間違いありません。

もしメタバースが平等に見えるとしたら、それはフィルターバブルにくるまれた人が見る幻想としての平等です。

「本当は不平等なのに、平等に見えるしくみや説明」はリアルにもありますが、メタバースのフィルターバブルはたまに見えてしまう真実の粗をよりよく覆い隠し、ずっと平等な気分に浸らせてくれるでしょう。利用者の多くは、その仕掛けをわかった上で、快適な繭の中にいることを選択するでしょう。

人間がメタバースで死ぬ日

この議論で個人的な話をすることにあまり意味はありませんが、私は状況が許すならメタバースで生きて、そして死にたいと考えています。今でも自由になる時間があると人がなるたけ出てこないゲーム世界で時間を過ごしていますが、そこで糊口を凌げるならリアルには帰りません。浦島太郎は私にとってはメタバースで夢を見て、そしてリアルへと帰還した人の寓話ですが、帰ってこずに竜宮城で幸せに死ねばよかったのにと思います。

お墓も（いらない派ですけど）リアルは高いので、メタバースに埋葬して欲しいです。そっちのほうが楽しいから。二次元女子がお墓参りに来てくれるＮＦＴがあれば、人生を賭した重課金に乗り出すことでしょう。

以前に有志で、オタクが埋葬される萌え共同墓地のクラウドファンディングを企てたことがありましたが、リアルでそんなものを作るよりメタバースでの埋葬のほうが楽ですし、理想に叶っています。

右で述べたのはオタクの戯言ですが、それに近い生活や感覚は多くの人が持つことになると思います。

本論でも述べたように、個人の自由は価値観としてとても広まりました。それは純粋によいことだと思います。でも、自由を謳歌して価値ある人生を自分の責任で勝ち取らなければならない、まで拡大するとちょっとしんどくなってきます。

そもそも、みんなが幸せになろうと頑張っていますから、資源や地位が有限である以上、全員が勝ち組になれるわけでもないでしょう。「ナンバーワンよりオンリーワン」という言い方もありますが、実人生ではおためごかしに過ぎません。

そうであるならば、自分にとって快適なフィルターバブルの中に潜って、そのバブルでのナンバーワンを目指すのは理のある選択肢です。バブルの外側には広大な世界がありますが、見えなければ存在していないのといっしょです。

井の中の蛙ですが、蛙はけっこう幸せでしょう。蛙を批判することはたやすいですが、むしろ世界を知り尽くしている人よりも、楽しそうにしています。蛙である状況を飲み込んだ上で、井戸の中に入っていく人は増えるかもしれません。

フィルターバブルに残るのは自分一人

フィルターバブルが最適化に最適化を重ね、さらには個人の快を突き詰めていくと、最後にフィルターバブルに残るのは自分一人になるかもしれません。

私のような人間だとそれが心地いいですし、それが寂しく感じる人は星新一の『妖精配給会社』やバンダイナムコのＳＮＳ「アンダーワールド」のように、自分に都合のよいことしか言わないＡＩに周囲を固めてもらえばいいでしょう。

今の技術では不可能に思えるかもしれませんが、すでにチューリングテスト（ある機械が人間的かどうかを調べるテスト。著名な手法は、試験官が文字ベースで人間および機械と会話し、どちらが人間か言い当てられなければ合格というもの）を突破して、テキストの会話だけでは人と見分けがつかなくなったＡＩが現れました。

美辞麗句を並べるＡＩに囲まれた、どこまでも孤独なフィルターバブルは、端から見ればグロテスクかもしれませんが、もともと人の幸せはグロテスクな要素を内包します。しかも、その構図は利用者には隠蔽《いんぺい》されるのです。社会に根付けば、誰も気にしなくなるでしょう。

そんなものが必要なのはオタクだけだと思われるでしょうか。でも、需要は意外にありそうです。たとえば、私には東京オリンピックの一部は昭和の時代のルサンチマンに見えました。あれを企画した人の何割かは今を生きている人ではない、過去の郷愁に生きている人たちだと思います。そういう人の居場所としても、メタバースは最適です。人生のラストまで、自分が生きていた時代が、ひいては自分がベストだと誰にも邪魔されずに唱えつつ、生を閉じることができます。

安っぽくなった正義

正義の問題もあります。ロールズ的な現代の正義は、「負荷なき自我」を想定するあまり、時として「一人一人に正義がある」といった議論に陥りがちです。個人主義が浸透した今、政治もこれを強く調停する能力や態度を持ちません。日本でも著名なサンデルが批判を試みた部分です。

こうした議論と、個人の可能性の追求といったムーブメントが接続すると、「自分が不快に感じることは不正義である。それを是正して、正義を勝ち取らねばならない」といった意識が育まれることになります。

これは理屈として飛躍しており、ロールズでも、ましてサンデルの言う正義でもありませんが、このような正義の理解が浸透したことで、正義を主張する個人が、正義の拳で個々に殴り合う状況が頻出しています。

何が正義かという問題は、一朝一夕で語れるようなものではありません。だからこそ人類は、千年単位の時間を費やして考察を重ねてきました。そのための社会的なしくみもあります。

サイバー空間ではそのしくみが未整備で、しかし正義の需要自体はある（指針としての正義なしに生きるのは不安で不便です）ため、大きな声を上げた者、執拗に主張し続けた者、多数の賛同者を得た者の言葉が、いつの間にか正義と認識される環境が強固に成立してしまいました。言葉をかえれば、正義はだいぶ安っぽくなりました。

個々に正義が存在し、かつ多様性を認めるという議論が主潮を占める状況下では、それぞれの正義が主張可能であり、主潮と外れる正義の感覚も少しは存在が認められてもいいはずなのに、実態としてそうではない状況は、大権力が単一の正義を押しつけてくるのと同様にストレスがかかります。

正義に関われないことは、選挙の項で考察した社会に関われないケース同様、無力感をもたげさせる苗床です。

それに反発して声を上げる者はまだいいのですが、穏健な多数派はここで議論を降りてしまいます。向かう先は傷つかずにすむ穏やかな世界です（別の選択肢として、大権力が単一の正義を押しつける安定した過去へ回帰する手段もありますが、一度自由を知ってしまった後でそれを望む人は多くないでしょう）。

それが、ここまでに論じてきたＳＮＳでありメタバースです。多くの人は傷つきたくないですし、傷つけたくもありません。

究極のフィルターバブル＝メタバース

メタバースはコミュニケーションだけでなく生活全般を、（ＶＲ機器を活用するならば）視覚と聴覚だけでなく五感を、フィルターバブルの分厚い繭の中にくるんでくれるでしょう。

多様性も、フィルターバブルの中でこそ達成されるでしょう。多様性って、綺麗なものではないと思うんです。私は「すごくいやな部分もあるけど、それでもあんたのそんなところを認めるよ、少なくとも干渉しないよ」が多様性の本質だと考えます。多様性を受け入れるとは、他人の地獄と向き合うことです。愚行権も含むでしょう。でも、いま言われている多様性は、なんだか綺麗で正義なもので構成されているように理解されていると思います。

たとえば、性的少数者の中に二次元愛好家はあんまり混ぜてもらえません。綺麗でもないし、正義にも見えないからです。その可能性は予め排除されています。汚い（と多数派に考えられている）ものと向き合えない多様性にどれほどの意味があるのかは、疑問に思います。でも、（自分の価値観で判断した）他人の汚いものを見たくない思いも、とてもよく理解できます。

だから、メタバースの中に埋もれて、自分の好きなものだけ見て過ごしてもいいと思うのです。他の書籍でも書きましたが、インターネットは議論には向いていません。インターネットが得意なのは、個々にカスタマイズされた快適な空間を作ることです。

それがよいことかどうかはわかりません。人間がリアルで生を受けた生きものである以上、リアルから遊離することは悪であると断じる価値観も、よく理解できます。それを踏まえてもなお、メタバースに魅力を感じる者は多く、その割合は増え続けるでしょう。

メタバースでのアイデンティティ

すでにステージは、メタバース的な世界が実現するかどうかではなく、実現していくことを所与の条件として、そのときどんな問題が生じ、どうクリアするかを議論する段階に至っていると考えます。

多くのメタバースが乱立してインフラになったとき、そこに社会が成立します。一つのメタバースに引きこもる人もいるでしょうが、いくつかのメタバースを行き来してコミュニティを広げたり、ビジネスを行う者も現れます。

そこで過ごす時間が長くなり、ビジネスを行うまでを視野に入れるなら、メタバースでのアイデンティティも重要になります。

SNSはそこまで生活に深く食い込んでいないので、フェイスブックはフェイスブックの、ツイッターはツイッターのアカウントで分離していて、深刻な不都合がありませんでした。むしろ、SNSごとに人格を変更したいので、分離しているほうがよいと考える利用者も多数にのぼります。アカウントの相互運用もまだ初期的な段階と言えます。

しかし、メタバースではアイデンティティを保ったままそれぞれのメタバースを行き来できることが重要になるでしょう（オープンメタバース）。アカウントのみならずアバターもそうです。メタバースごとにアバターを取り替える自由さや、個人情報保護としての追跡不可能性は大事ですが、同一のそれらを保持して仮想現実を渡り歩く需要は必ず生まれます。

それに応える技術が求められるでしょう。

メタバースでの恋愛、デジタル遺産

メタバースが生活空間になれば、恋愛も行われるでしょう。メタバースでのアイデンティティで婚姻することは可能でしょうか？　それはリアルと切り離せるでしょうか？　リアルで結婚している人が、メタバースで別の相手と結婚することは重婚になるのか。メタバースはポリアモリーが許されるのか。

仮想現実でまで人の顔色をうかがったり、うかがわれたりしたくないという理由で、感情表現が定型的なアニメアバターを使う利用者もいます。その人とリアルで、あるいは疑似現実のリアル志向なアバターで出会ってしまったときに、その人から受ける印象のギャップを超えられるのか。

リアルでは男性の人が、メタバースでは女性のアバターを使い、婚姻することは可能か。それを女性と信じて婚姻した配偶者が、実は相手はリアルでは男性だったと知ったときに、詐欺罪は成立するのか。人間が操るアバターだと信じて疑わなかった相手と結婚したら、その背後にいたのがＡＩだったときどうするのか。

利用者が亡くなったときは、どうでしょう。今でもＳＮＳに多くの足跡が残されているので、デジタル遺産をどうするのかクローズアップされることがあります。恥ずかしさを覚える内容も含まれるため消したい遺族と、自分の死後も足跡として自分の文章や写真を残しておきたい本人の遺志との葛藤などが具体例です。

これがメタバースになると、残る情報量も多くなる上にその中にはアバターも含まれます。人間はイライザ効果（そんなはずはないと思いつつも、コンピュータの挙動に人格を感じてしまうこと）によって、モノにまで簡単に人間の気配を読み取ってしまいます。デジタルデータだからといって故人のアバターを消去してしまってよいのか。

人の筆致やしゃべり方を上手に模倣するＡＩも現れてきました。それを残しておくのが慰めになる遺族も、却ってつらくなる遺族もいるでしょう。残す側の故人も、消したい人も、ずっと存在することを希望する人もいるでしょう。人はいつまでも自分が世界に生きた爪痕を残し続けられるのかもしれませんし、見方を変えればいつまでも死ねないのかもしれません。

ちょっと想像しただけでも、まだまだ私たちが考えねばならないこと、考えるべきこと、考えてもよいことが残されていて、わくわくします。こうした問題について考え、取り組み続けることで、人はもっとよりよい生を生きられるようになるでしょうし、巨大なビジネスチャンスをつかむこともできるはずです。

岡嶋裕史（おかじまゆうし）

1972年東京都生まれ。中央大学大学院総合政策研究科博士後期課程修了。博士（総合政策）。富士総合研究所勤務、関東学院大学経済学部准教授・情報科学センター所長を経て、現在、中央大学国際情報学部教授。『ジオン軍の失敗』『ジオン軍の遺産』（以上、角川コミック・エース）、『ポスト・モバイル』（新潮新書）、『ハッカーの手口』（PHP新書）、『思考からの逃走』（日本経済新聞出版）、『ブロックチェーン』『5G』（以上、講談社ブルーバックス）、『数式を使わないデータマイニング入門』『アップル、グーグル、マイクロソフト』『個人情報ダダ漏れです！』『プログラミング教育はいらない』『大学教授、発達障害の子を育てる』（以上、光文社新書）など著書多数。

メタバースとは何《なに》か

ネット上《じょう》の「もう一《ひと》つの世界《せかい》」

2022年1月30日初版1刷発行
2022年10月5日　　7刷発行

著　者 ── 岡嶋裕史

発行者 ── 三宅貴久

装　幀 ── アラン・チャン

印刷所 ── 萩原印刷

製本所 ── ナショナル製本

発行所 ── 株式会社光文社
東京都文京区音羽1-16-6(〒112-8011)
https://www.kobunsha.com/

電　話 ── 編集部03(5395)8289　書籍販売部03(5395)8116
業務部03(5395)8125

メール ── sinsyo@kobunsha.com

ISBN 978-4-334-04584-5

1176

ヘーゲル哲学に学ぶ 考え抜く力

川瀬和也

哲学の基本スキルである「考え抜く力」は、同時に人生一〇〇年時代の「社会人基礎力」でもある。十九世紀ドイツのヘーゲル哲学が、二十一世紀のビジネスに〝効く〟理由とは？

978-4-334-04585-2

1177

田舎はいやらしい

地域活性化は本当に必要か？

花房尚作

「地域活性化は正しい」――これは都会に住む者の勝手な思い込みでは？　過疎地域在住12年の著者が、現地での調査やインタビューをもとに過疎地域の〝本音と建前〟を鋭く描き出す。

978-4-334-04588-3

1178

ルポ　座間9人殺害事件

被害者はなぜ引き寄せられたのか

渋井哲也

判決から1年――。わずか2カ月で9人が犠牲になった「座間9人殺害事件」はなぜ起きたのか。若者の生きづらさを長年取材してきた著者が、被害者の心情にも迫りながら再検証する。

978-4-334-04586-9

1179

メタバースとは何か

ネット上の「もう一つの世界」

岡嶋裕史

フェイスブックはなぜ「メタ（Ｍｅｔａ）」に社名変更したのか？　ＩＴのわかりやすい解説に定評のある著者が、話題の「メタバース」の基礎から未来の可能性までを語る。

978-4-334-04584-5

1180

「非会社員」の知られざる稼ぎ方

村田らむ

これまでにないジャンルに根を張って、長年自営で生活している人がいる。自分で敷いたレールの上にあるマネタイズ方法を、特殊分野で自営を続けるライター・村田らむが紡ぐ。

978-4-334-04587-6